NEW 서울대 선정 인문고전 60선

36
간디 자서전

NEW 서울대 선정 인문 고전 36

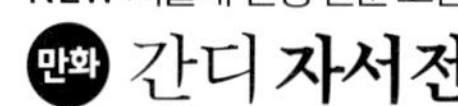

개정 1판 1쇄 인쇄 | 2019. 8. 14
개정 1판 1쇄 발행 | 2019. 8. 21

서기남 글 | 박수로 그림 | 손영운 기획

발행처 김영사 | 발행인 고세규
등록번호 제 406-2003-036호 | 등록일자 1979. 5. 17.
주소 경기도 파주시 문발로 197 (우10881)
전화 마케팅부 031-955-3100 | 편집부 031-955-3113~20 | 팩스 031-955-3111

값은 표지에 있습니다.
ISBN 978-89-349-9461-9
ISBN 978-89-349-9425-1 (세트)

좋은 독자가 좋은 책을 만듭니다. 김영사는 독자 여러분의 의견에 항상 귀 기울이고 있습니다.
독자의견전화 031-955-3139 | 전자우편 book@gimmyoung.com
홈페이지 www.gimmyoungjr.com | 어린이들의 책놀이터 cafe.naver.com/gimmyoungjr

---

이 도서의 국립중앙도서관 출판예정도서목록(CIP)은 서지정보유통지원시스템 홈페이지(http://seoji.nl.go.kr)와 국가자료종합목록시스템(http://www.nl.go.kr/kolisnet)에서 이용하실 수 있습니다. (CIP제어번호 : CIP2018042959)

어린이제품 안전특별법에 의한 표시사항

제품명 도서 제조년월일 2019년 8월 21일 제조사명 김영사 주소 10881 경기도 파주시 문발로 197
전화번호 031-955-3100 제조국명 대한민국 ⚠주의 책 모서리에 찍히거나 책장에 베이지 않게 조심하세요.

미래의 글로벌 리더들이 꼭 읽어야 할 인문고전을 만화로 만나다

NEW 서울대 선정 인문고전 60선

36 간디 자서전

서기남 글 · 박수로 그림

주니어김영사

Jaisalmer
Jodhpu

| 기획에 부쳐 |

'서울대 선정 인문고전 50선'이 국민 만화책이 되기를 바라며

40여 년 전, 제가 살던 동네 골목 어귀에는 아이들에게 만화책을 빌려 주는 가게가 있었습니다. 땅바닥에 검정색 비닐을 깔고 그 위에 아이들이 좋아하는 만화책을 늘어놓았는데, 1원을 내면 낡은 만화책 한 권을 빌릴 수 있었지요. 저는 그곳에서 처음으로 만화책을 접했고, 만화책을 보면서 한글을 깨쳤습니다. 어쩌면 그때 저는 만화가 가진 힘을 깨쳤다고 할 수 있습니다.

이렇게 만화책으로 시작한 책과의 인연으로 저는 책을 좋아하게 되었고, 중학교 때는 도서반장을 맡게 되었습니다. 약 10만 권의 장서를 자랑하는 학교 도서관을 매일 밤 10시까지 지키면서 참 많은 책을 읽었습니다.

또래의 아이들이 지겹게만 여기던 헤밍웨이의 《노인과 바다》를 두 손에 땀을 쥐며 네 번이나 읽었습니다. 또한 헤르만 헤세의 《데미안》을 읽으며 질풍노도의 시절을 달랬고, 김래성의 《청춘 극장》을 밤새워 읽느라고 중간고사를 망치기도 했습니다.

당시 저의 꿈은 아주 큰 도서관을 운영하는 사람이 되어 하루 종일 책을 보면서 사람들에게 필요한 책을 쓰는 작가가 되는 것이었습니다. 이제 저는 한 가지 더 큰 꿈을 가지려고 합니다. 그것은 우리나라의 아이들이 꿈과 위로를 얻고, 나아가 인생을 성찰하게 해 줄 수 있는 멋진 만화책을 만드는 일입니다.

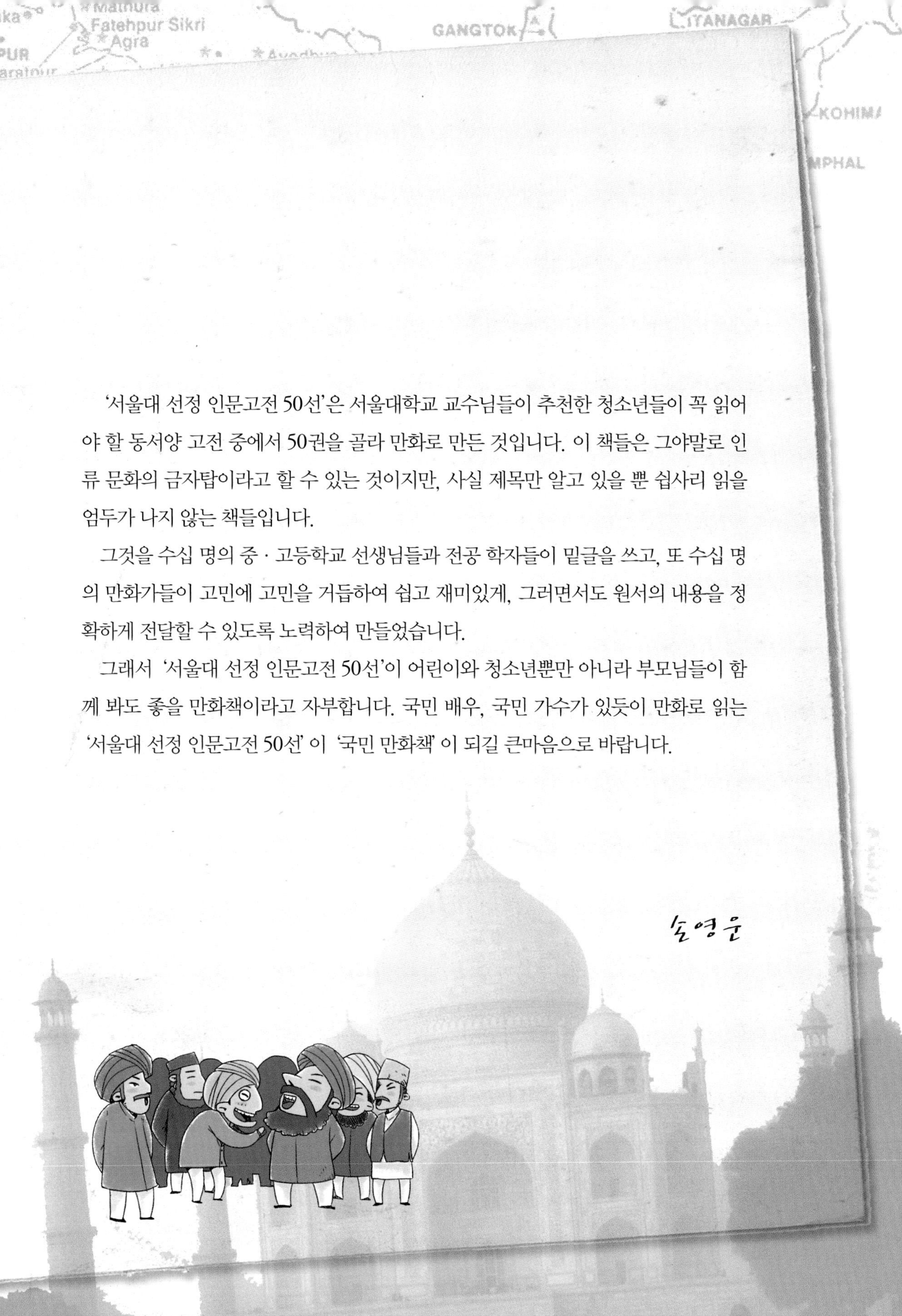
Fatehpur Sikri
Agra
GANGTOK

'서울대 선정 인문고전 50선'은 서울대학교 교수님들이 추천한 청소년들이 꼭 읽어야 할 동서양 고전 중에서 50권을 골라 만화로 만든 것입니다. 이 책들은 그야말로 인류 문화의 금자탑이라고 할 수 있는 것이지만, 사실 제목만 알고 있을 뿐 쉽사리 읽을 엄두가 나지 않는 책들입니다.

그것을 수십 명의 중 · 고등학교 선생님들과 전공 학자들이 밑글을 쓰고, 또 수십 명의 만화가들이 고민에 고민을 거듭하여 쉽고 재미있게, 그러면서도 원서의 내용을 정확하게 전달할 수 있도록 노력하여 만들었습니다.

그래서 '서울대 선정 인문고전 50선'이 어린이와 청소년뿐만 아니라 부모님들이 함께 봐도 좋을 만화책이라고 자부합니다. 국민 배우, 국민 가수가 있듯이 만화로 읽는 '서울대 선정 인문고전 50선' 이 '국민 만화책' 이 되길 큰마음으로 바랍니다.

손영운

평생에 걸친 절제와 겸허, 진리 탐구의 이야기

간디가 살았던 시절의 인도는 영국의 지배를 받고 있었습니다. 인도는 찬란한 고대문명을 자랑하는, 넓은 영토와 많은 인구를 가진 거대한 나라였지만, 유럽의 조그마한 섬나라 영국에게 약 200년간이나 지배를 받았습니다. 인도 사람들은 세포이 항쟁, 스와데시(국산품 애용), 스와라시(국민자치) 등의 반영反英운동을 전개하여 영국으로부터 자치를 약속받고, 1947년 8월 15일 마침내 독립을 이룩하였습니다.

인도 독립운동의 상징이 되는 사람이 바로 간디입니다. 우리에게 간디는 윗옷을 입지 않은 채, 빡빡이 머리에 둥근 안경을 쓰고 인자한 표정으로 물레를 돌리고 있는 할아버지의 사진으로, 또는 비폭력, 불복종 운동(사티아그라하)의 상징으로 기억되는 분입니다.

간디는 다른 나라의 독립운동 지도자들처럼 제국주의에 맞서 총칼을 들고 독립군이 되어 싸우지 않았습니다. 그는 영국의 면제품 때문에 인도의 경제가 어렵게 되자 사라져버린 물레를 찾아내서 스스로 옷을 짜서 입었습니다. 영국이 악법을 만들어 인도인들을 억압하려 하면, 인도의 민중들과 함께 행진하며 사회적 관심을 이끌어내기도 하고, 하르탈(파업)을 선언하며 단식과 기도로 악법에 저항하기도 했습니다. 혹시라도 투쟁의 과정에서 폭력이 발생하고, 인도인들 사이에 갈등이 생기면 며칠이고 밥을 굶으며 평화를 호소하고, 화해를 이끌어 냈습니다.

사람들은 보통 부당한 대우를 받으면 화를 냅니다. 상대가 나를 억압하면 더 강한 방법으로 싸웁니다. 악은 악을 낳고, 폭력은 마음의 작은 티끌도 변화시키지 못한다는 것을 알면서도 그렇게 행동합니다. 그러나 간디는 부당한 것에 복종하지 않으면서, 아힘사의 정신으로 비폭력 운동을 전개했습니다. 그의 방식은 사람들의 마음을 움직이고, 적에게 존경심을 이끌어 내고, 뜻을 모아 세상의 변화를 만들어 냈습니다. 그래서 사람들은 간디를 위대한 영혼 '마하트마'라고 부릅니다.

이 책을 읽다보면 보통의 한 인간이 평생에 걸친 진리 탐구와 철저한 자기 절제를 통해 위대한 영혼으로 변화하는 모습을 만날 수 있습니다. 소박하고, 솔직하게, 그리고 일관되게 자신을 단련시켜 나가는 간디의 모습은 자신을 돌아보는 기회가 될 것입니다.

독자들이 쉽게 이해할 수 있도록 하기 위해 원문에 있던 내용 중에 이해하기 어려운 것은 생략하기도 했습니다. 그래서 《간디 자서전》에 닮긴 원래의 정신과 느낌이 제대로 전달되지 못 했을까 많이 걱정스럽습니다. 이 책을 통해 간디의 삶과 영혼에 대해 관심을 갖게 된 친구가 있다면 《간디 자서전》 원문을 찾아 읽어보기를 권합니다. 손영운 선생님, 그림 작가 박수로 선생님께 감사의 마음을 전합니다.

서기남

| 그림 작가 머리말 |

소박하고 진실된 삶을 살아간, 위대한 스승 '마하트마 간디'

오늘은 광복절입니다. 다들 태극기는 걸어 놓았었나요? 요새는 정말 태극기 게양한 집을 찾기가 어렵습니다. 나라의 소중함을 알지 못하고 살던 저 역시 아기가 태어나고 한 해가 지나면서 갑자기 태극기를 게양하기 시작했습니다. 그래야만 한다고 생각했기 때문입니다. 제가 그렇다고 애국심이 투철한 사람도 아니지만 어려운 세월 다 겪은 우리나라를 위하는 조그만 마음으로 태극기를 한번 걸어 보는 것도 나쁘지 않을 거라 생각합니다.

《간디 자서전》 원고 작업을 시작하기 전 제가 알고 있는 간디는 인도의 독립을 위해 헌신한 사람, 깡마른 체구에 지팡이를 들고 특유의 웃음을 짓고 있는 사진들 속의 이미지가 전부였습니다. 하지만 그림을 그리기 위해 서기남 선생님의 글을 읽고서는 한숨이 절로 나왔습니다. 정말 도저히 다가설 수 없는 삶을 산 '성인聖人' 임을 깨달았기 때문입니다. 사람들의 정신을 한 곳에 모아 나라를 독립시킨다는 것은 저로서는 상상도 못 할 일입니다.

우리나라의 역사를 보더라도 3·1 만세운동이 참혹한 탄압으로 끝나자 곧 무장투쟁을 시작했습니다. 다른 나라 역시 마찬가지입니다. 물리적 억압에 맞서기 위해서는 또 다른 힘이 필요하고 그 힘은 대부분의 역사 속에서 '폭력과 전쟁' 이라는 모습을 띠게 됩니다. 우리나라는 물론 미국에서 그러했고, 쿠바와 베트남에서도 그랬습니다.

그런데 간디는 그러지 않았습니다. 상상을 한 번 해보세요. 중국 다음으로 인구가 많은 나라 인도에서, 수많은 사람들을 하나로 통합시켜, 비폭력으로 당대 최강의 제국 영국에 저항한다는 것은 그 첫 단계부터 불가능에 가까운 일이었을 겁니다. 그만큼 독립에 대한 갈망이 컸겠지만 한편으론 간디가 누구보다 조국 인도와 동포를 사랑했기 때문이었을 것입니다. 더불어 간디와 그 뜻을 함께 한 인도인들의 용기가 있었기에 가능한 일이었을 것입니다. 영국 경찰의 총칼 앞에 아무런 저항도 하지 않고 쓰러져간 수많은 인도인들을 그리려 하니, 일제 식민지 시절 독립을 위해 싸운 수많은 독립투사들과 남녀노소 할 것 없이 거리로 나와 '대한독립 만세' 를 외치던 우리 조상들이 떠오릅니다.

자신의 사적인 영역을 가감 없이 솔직하게 말하는 간디의 원고를 읽고 만화로 옮기면서, 우리가 잘 알지 못하는 저 먼 나라 인도의 독립운동가 간디가 아니라, 마치 부모님이나 동네 분처럼 바로 곁에서 볼 수 있는 아저씨와 같은 친근함이 느껴지기도 했습니다. '마하트마'(현자), '성인' 으로 이야기되지만 그는 너무나 소박하고 진실된 삶을 추구했던 한 명의 '사람' 이었던 것입니다.

간디의 인생은 한마디로 파란만장한 삶이었습니다. 그림을 그려갈수록 간디가 자신을 끊임없이 채찍질하며 진리를 구하고, 인도를 위하는 모습에 점점 더 그리기가 어려워지기도 했습니다. 비록 조국 인도는 힌두와 이슬람으로 갈라졌고, 여전히 카스트의 억압이 남아 있지만 간디는 스스로의 최선을 다했기 때문에 죽는 순간까지 신을 경배하며 후회 없는 삶을 살았을 것이라고 생각합니다.

친구들도 이 책을 읽고 자신의 꿈을 위하여, 희생을 참고 견디며 끝까지 최선을 다하는 그런 진실한 사람이 되기를 바랍니다.

박수로

| 차 례 |

기획에 부쳐 04

머리말 06

제1장 《간디 자서전》은 어떤 책일까? 12

제2장 간디는 어떤 사람인가?
– 자신을 다스리고 세상을 섬긴 인도 독립운동의 아버지 26

제국주의 54

제3장 열세 살 소년, 아저씨가 되다 56

인도의 계급제도 – 카스트 72

제4장 중 · 고등학생 시절 – 방황의 시간 74

힌두교(Hinduism) 88

제5장 영국 유학시절 – 성장의 시간 92

제6장 남아프리카의 쿨리 변호사 – 1등석은 안 돼! 110

제 7장 간디 바이 – 남아프리카 인도인의 형님 124

제 8장 가정에서의 진리실험 144

제 9장 남아프리카에서 사티아그라하 166

비폭력 · 불복종 운동이란? 190

제 10장 인디고의 얼룩 – 인도의 민중과 만나다 192

제 11장 임금투쟁에서 롤래트 법까지 210

제 12장 물레 이야기 – 카디의 탄생 226

인도의 독립운동가들 238

간디의 삶 242

제1장 《간디 자서전》은 어떤 책일까?

2006년 〈한겨레 21〉이라는 잡지에서

한국, 일본, 중국의 기자 100명을 대상으로 조사를 했어.

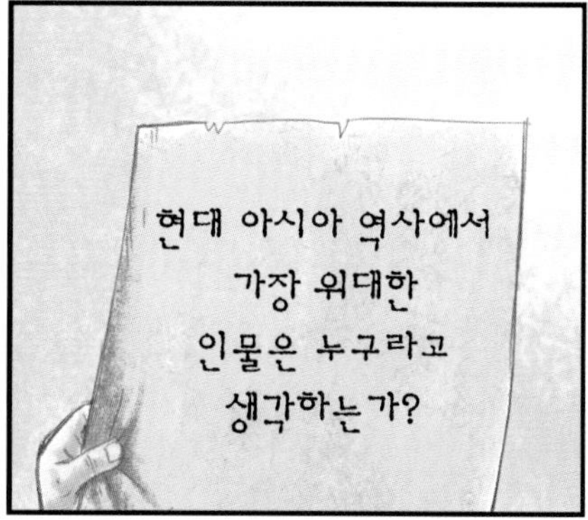
현대 아시아 역사에서
가장 위대한
인물은 누구라고
생각하는가?

과연 누가 뽑혔을까?

날 뽑아줘!
날 뽑아~!!

우리나라 사람 중에는 김대중 전 대통령이 7위에 올라 가장 높은 순위를 차지했지.

오 올~
흠흠…
쑥스럽군….

그런데 재미있는 것은 우리나라 사람들을 대상으로 한 설문조사에서 늘 1등을 차지하는 박정희 전 대통령은

위대한 인물이 아니라
'아시아 최악의 인물* 10'위에
뽑혔다나 봐.
헉!

박정희 전 대통령의 18년 독재가
최악으로 평가된 셈이지.
이렇게
살게 된 게
누구 때문인데…?!

북한의 김일성 전 주석은 '한국 현대사
최고의 지도자' 2위를 차지했으나
'아시아 최악의 인물' 4위에도 올랐대.
왜
나한테
불똥이
튀어??

* '아시아 최악의 지도자'는 캄보디아 '킬링필드'의 주역 폴포트였다. 이어 마르코스(필리핀)–히로히토(일본)–김일성–도조 히데키(일본)–김정일–고이즈미 준이치로(일본)–사담 후세인(이라크)–마오쩌둥(중국)–박정희 순이었다.

그러면, 누가 1등을 했을까?
누굴
바보로
아나?

이미 알고 있다고? 그럼
1, 2, 3등을 맞혀볼래?
그..
그건..

인도의 '간디'가 1등,
2
1
3

중국의 '마오쩌뚱'이 2등,
다음엔
내가 1등
해야지..

베트남의 '호치민'이 3등을
차지했어.
도대체
누구지?

이들의 이름을 처음 들었다면
약간 반성해야 할 것 같아.
똑바로
손들엇!

왜냐하면 현대 아시아의 가장
위대한 인물을 모를 정도면
어떻게
이것도
몰라?!

책을 심하게 안 읽었다, 즉
무식하다는 증거이고
그래! 나 무식하다!!
잘났다..

워싱턴, 링컨은 알면서
워싱턴
링컨

아시아의 인물을 모른다는 것은
서양 중심의 생각에 빠져 있다는 증거이기
때문이지.

간디는 인도 독립운동의
정신적 지도자야.
인도의
자유를 위하여
일어섭시다!
STAND
Up!!
와 아아

마오쩌둥은 중국 공산당 지도자로
중화인민공화국을 세운 사람이고,
중화인민공화국

호치민은 베트남 독립운동의 지도자로
베트남민주공화국을 세운 공산주의
지도자야.
베트남 독립만세!

세 명 모두 현재 인도, 중국,
베트남을 세우거나 세우는 데
큰 공헌을 한 사람들이야.
베트남
중국
인도
아시아

지금부터 우리가 살펴보려는 책이 바로 당당하게
1등을 차지한 간디의 《자서전》이야.

자서전이란 '자신의 삶을
자신이 쓴 책'이라는 뜻이지.
자서전

이처럼 자서전은 자신의
삶을 직접 쓰기 때문에
12살 때
내가
뭐했지?

다른 사람은 누구도 알 수 없는
개인적인 이야기나 독특한 정보를
담고 있다는 장점도 있지만,

알게 모르게 중요한 이야기를 빼먹거나
다르게 이야기할 수도 있는 단점이 있어.
슈우우

여러분도 겪었던 일을
다른 사람에게 이야기할 때
뒷골목
돈 내놔!

창피한 일은 일부러 빼기도 하고,
더 필요한 건 없으세요?
쌩유!

사실을 약간 과장하기도 해서 좀 더 멋있게 전하려고 한 경험이 있을 거야.
7:1이었는데 한방에 다 날려줬지.

그래서 어떤 사람들은 자서전은 자기 자랑에 불과하다고 생각하기도 하고,
피! 거짓말. 다 봤는데….
어.. 언제 봤지?

별로 믿을 만한 것이 없다고 생각하기도 해.
역시 믿을 게 못돼!

그런데도 불구하고 서울대학교 교수님들이 꼭 읽어야 할 동서양의 고전 중 한 권으로 간디의 《자서전》을 꼽은 이유는 무엇일까?
간디의 자서전

어느 교수님의 말을 빌리면
간디의 《자서전》이 좋은 이유, 2가지!

하나는 그의 사상이 제3세계를 대표하기 때문이고,
비폭력 무저항주의
제 3세계

둘째는 간디 스스로 그 사상의 가능성을 실천을 통해 온몸으로 증명했기 때문이라는 거야.
내 옷은 내가 만들어 입어야지….

특히 이 자서전이 청소년들에게 좋은 것은 너무나 솔직한 자기 고백으로 이루어졌기 때문이지.
내 얘기를 들어볼래?

그래서 그의 《자서전》은 돈이면 무엇이든지 다 된다고 생각하는 요즘 청소년들에게 좋은 인생의 길잡이가 될 수 있어.
황금 만능길
어디로 가야 되지?

그렇다면 간디는 왜 자서전을 쓰게 되었을까?
저요! 저요!!

돈 벌려고!
돈이 최고지..
책을 써서
더 유명해지려고!
자기가 얼마나 훌륭한지
알려서 선거에 당선되려고!

아닌 것 같은데….
노노

1922년 53살의 간디는 같이 일하는 몇몇 분의 권유에 따라 자서전을 쓰기로 했어.
아자! 아자!
간디 파이팅!
쓰기 싫은데..

하지만 시작하자마자 뭄바이에서 폭동이 일어나 자서전은 중단되어 버렸어.
뭄바이 폭동
이제
첫장인데….

그 후 연달아서 사건이 일어나 간디는 6년형을 받고 감옥에 투옥되고 말았어.
그러게
안 쓴다니까
흑흑….

같이 감옥에 들어간 사람 중 하나가 모든 일을 제쳐두고 자서전을 완성하라고 했지만,

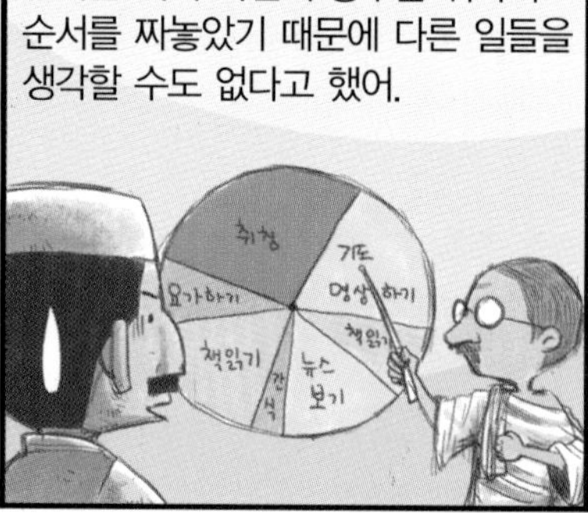
간디는 이미 자신의 공부를 위하여 순서를 짜놓았기 때문에 다른 일들을 생각할 수도 없다고 했어.
취침
기도
명상하기
요가하기
책읽기
뉴스
보기
책읽기

감옥에 갇혔는데 바빠서
자서전을 쓸 시간이 없었다니.
이게 무슨 말인지 궁금하지?

간디가 수감된 예라브다 감방은 간디의 말을 빌리면, 별로 불편하지 않았대.
간디가
좋은 옷이나 맛있는 음식,
멋진 집 같은 것을
중요하게 생각하지
않았다는 것을
생각하고 들어야겠지?

예라브다 감방은 깨끗했고 환기도 잘 됐으며 밖에는 상당히 지저분하지만 뜰이 있었어.
아! 상쾌해~

처음에 간디는 책을 읽을 수 없거나,
다른 사람들에게 가까이 갈 수 없는 등
몇 가지 제한을 받았어.
이 선 밖으로
나오지 마!
간수

인도의 날씨는
매우 더웠는데도

밖에서 자는 것이 금지 되었으며,
베개도 주지 않았어.
베개는 줘야
될 거 아냐!
노숙금지

간디는 자기가 가지고 간 옷을 베고 잘
수밖에 없었고 호주머니의 칼도 뺏겼어.
몸수색

그 칼은 구운 빵에 무엇을 바르거나 레몬을
자르는 데 필요한 물건이었지만

감옥의 규칙에 따르면
'아주 위험한 흉기' 였기
때문이지,
앗!
손 찔렸다!
간수

간디는 교도 소장에게 빵과 레몬을
주지 말든지 칼을 사용하게 하든지
둘 중의 하나를 선택하라고 말했고,

한바탕 소동이 벌어지고 난 뒤
칼을 사용하게 되었대.
촛불 시위

얼마 후에는 엄격한 규제들이
풀려서
엄격한
규제
스르륵

감옥 도서관에 있는 책들뿐
아니라,

자신의 돈으로 바깥에서 책이나
잡지 등을 사서 볼 수도 있었어.
《사기열전》
한 권 주세요.

그래서 간디는 매일 새벽 4시에 일어나
해뜨기 전까지 기도와 명상을 하고,

하루에 6시간씩 종교와 철학에 관한 다양한 책을 읽고,
다음단계
자, 다음 계획! 웃샤~!

4시간씩 물레를 돌리는 생활을 했어.

감옥은 고독을 좋아하고, 고요를 즐기는 간디에게
조용하니 좋구나~!
감옥

중요하지만 밖에서는 시간에 쫓겨 하지 못했던 공부에 몰두할 수 있는 소중한 시간이었던 거지.

그러나 1924년 1월 12일 간디의 감옥 생활은 갑자기 끝났어.
어이쿠 배야~!
간디~~!!

느닷없이 심한 맹장염이 생겨 수술을 마쳤는데 고름 때문에 회복이 늦어지자
이놈의 고름.

사람들이 간디의 석방을 요구하는 격렬한 시위를 벌였기 때문이지.
간디를 석방하라!!
석방
석방

정부는 간디를 다시 감옥으로 보냈다가 죽기라도 한다면 일이 더 커질 것을 우려했어.
무조건 석방시키기로 결정했습니다.
정부

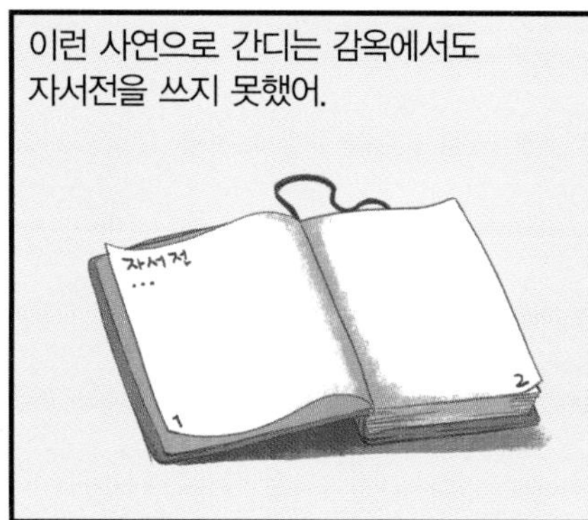
이런 사연으로 간디는 감옥에서도 자서전을 쓰지 못했어.
자서전 ...

1925년 56살이 된 간디는 자신이 책임지고 있던 잡지 〈나바지반〉에 자서전을 연재해야겠다고 생각했어.
나바지반
드디어 때가 왔다~!

어떤 사람은 한 권의 책으로 자서전을 내자고도 했지만 그럴 여유는 없었어.

가지마!

그때 간디는 이미 '마하트마' 또는 '바푸'로 불리며 인도에서 가장 영향력 있는 지도자 중의 한 사람이었거든.

부러워라~
영향력
바글
인기짱
바글

'마하트마'는 위대한 영혼이라는 뜻이고,

'바푸'는 아버지라는 말이야.

아빠!

인도 사람들은 간디를 '위대한 영혼을 가진 인도인의 아버지'라고 생각하고 있었던 거야.

이런 분이 어떻게 자서전을 쓰는 데만 매달릴 수 있었겠어?

꽥

하지만 간디는 〈나바지반〉에 매주 무엇인가를 써야 하는 입장이어서

그것이 자서전이라고 해서 안 될 것은 없지 않은가?
벌떡

매주 한 장(章)씩 부지런히 자서전을 쓰기 시작했지.

INK
한 쪽이 아닌 것 알지?

그런데 한 친구가 간디에게 물었어.

무엇 때문에 그런 모험을 하려고 하는가? 자서전을 쓰는 것은 서양 사람들이나 하는 것이고,
내가 알기로는 동양에서는 서양 영향을 받은 사람을 제외하고는 자서전을 쓴 사람이 아무도 없네.

게다가 무엇을 쓴다는 겐가? 오늘 자네가 주장하고 계획한 것을 내일 바꾼다면 자네의 말이나 글을 믿고 행동한 사람은 방황하게 될 것 아닌가?

나는 자네가 자서전 같은 것은 그만 두거나, 적어도 아직은 쓰지 않는 것이 좋을 것 같네.
솔깃

친구의 말을 듣고 나니 어느 정도 옳다는 생각이 들었어.
음… 일리가 있군.
겨우 설득시켰네.
콜록
콜록

내가 쓰려는 것은 그런 자서전이 아니야.
엥?!

나는 다만 수많은 진리실험의 이야기를 해보자는 것뿐이지.
요것도 넣어 볼까?
이 야 기

다만 나의 생애 자체가 그러한 실험들이기 때문에 이야기는 자연히 자서전의 형태를 띠게 될 것이다.
진 리 실 험

라고 스스로 믿고 위안하며 자서전을 썼지.
넌 할 수 있어!

그래서 간디의 《자서전》에는 '나의 진리실험 이야기'라는 부제가 붙어 있어.
진리실험
진리를 찾아서!

간디가 정말 하고 싶은 이야기는 정치 분야에서의 활동이나 업적이 아니라 정신 분야에서의 실험이었어.
퐁
정신적 분야

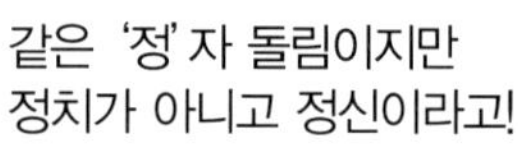
같은 '정'자 돌림이지만 정치가 아니고 정신이라고!

政治 정치
精神 정신

정치 분야에서의 활동은 인도뿐만 아니라 세계의 여러 나라 사람들에게 어느 정도 알려져 있기 때문에
뭘 봐!!

그것을 새로 또 쓴다는 것이 별 가치가 없다고 생각한 거지.
으~ 창작의 고통….

더군다나 정치 활동으로 인해 얻은 '마하트마'라는 칭호는
마하트마

간디를 기쁘게 한 적은 한 번도 없고, 종종 깊은 상처를 주었거든.
너무 무거워…
마하트마
그냥 간디로 살고 싶어….

그러니까 650쪽이 넘는 자서전을 아무리 열심히 읽어도 간디의 대단한 업적이 무엇인지를 알기는 어려울 수도 있어.
자서전
INK
낑
낑

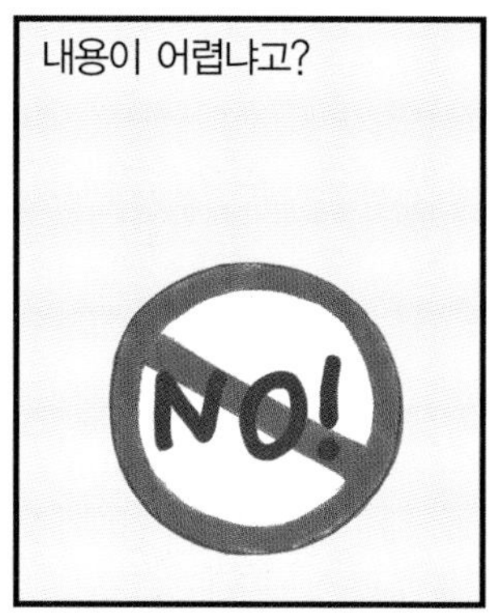
내용이 어렵냐고?
NO!

원래 간디 《자서전》은 이렇게 두껍지만, 여기에서는 너희들이 이해하기 쉽게 재미있고 좋은 내용만 골라서 소개할 작정이니까 걱정은 붙들어 매세요!

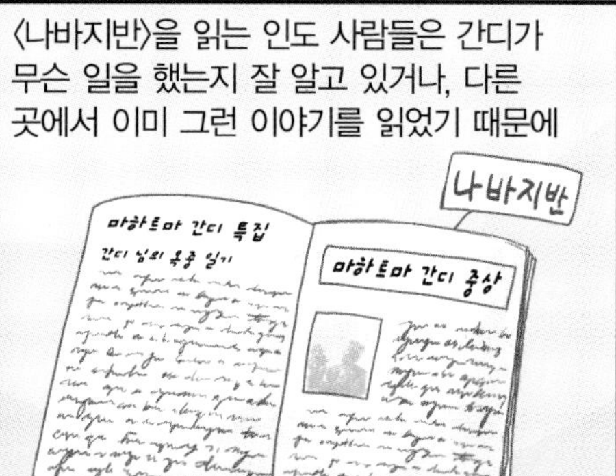
〈나바지반〉을 읽는 인도 사람들은 간디가 무슨 일을 했는지 잘 알고 있거나, 다른 곳에서 이미 그런 이야기를 읽었기 때문에
나바지반
마하트마 간디 특집
마하트마 간디 중상

여러 사건들의 앞뒤 사정을 다시 얘기할 필요가 없었어.
간디 님이 어제… 종알종알
아! 그 얘기 나도 들었어.
그래서 정신 분야의 실험을 중심으로 이야기한 거야.

그럼, 간디는 하고자 했던 정신적 실험은 무엇이었을까?
펑
정신적 실험

간디의 말을 그대로 옮기면
내가 지난 30년 동안 원하고, 성취하려고 싸우며 애써 온 것은 자아의 실현이다. 그것은 하느님의 얼굴을 마주 보는 것이자, 구원에 이르는 것이다.
자아 실현?
구원?

무슨 말이야? 갑자기 너무 어려워요!
꽈당

자아실현이란 '자아=나, 실현=~을 이루다.'라는 뜻이고,
自我
實現

간디가 말하는 하느님은 교회에서 말하는 하느님이 아니라 '진실' 또는 '진리'라는 의미야.
날 불렀느냐?
내 하느님은 당신이 아닌데요.

구원은 삶과 죽음으로부터 해방된다는 것이지.
구원

즉 진리를 통해 자아를 실현함으로써 구원을 얻고자 노력한 실험들을 이야기하고 있다는 뜻이야.
실험
진리

진리는 간디가 살아가는 내내 가장 중요하게 생각한 것인데,
진리

이 진리는 말의 진실뿐만 아니라 행동의 진실이기도 했어.

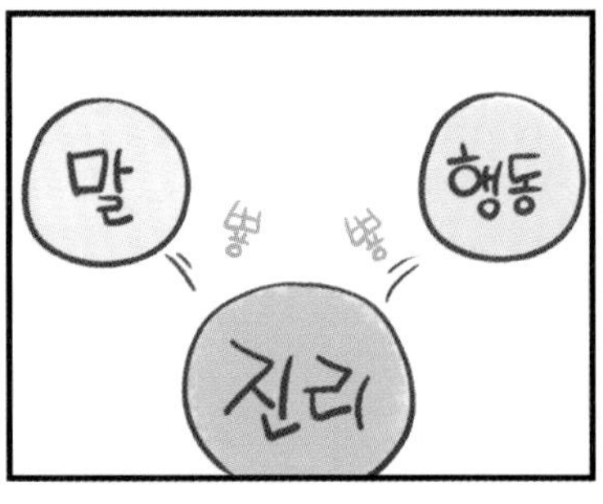
말
행동
진리

삶의 '진리'라는 것이 말로도 얼마나 깨닫기가 어려우냐?
진리

우리가 공부를 하고 좋은 책들을 읽고 다양한 경험을 쌓아 가는 것도 결국은 인생의 진리를 깨닫기 위한 것이잖아.
인생

요즘은 많은 사람들이 그 인생의 진리가
진리

높은 지위, 많은 돈, 멋진 외모를 통해 얻을 수 있다고 생각해서 문제지만 말이야.
심봤다!
돈
외모

그런데 간디는 행동으로 진리를 보여주는 삶을 살았기 때문에
난 행위예술가.

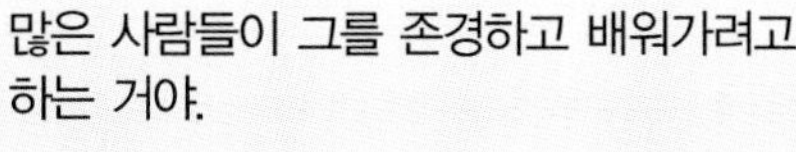
많은 사람들이 그를 존경하고 배워가려고
하는 거야.

너도
나도

간디는 자신의 경험을 통해서 진리 외에
다른 신은 없다는 확신을 갖게 되었어.
진리
이 길이
확실해.

간디가 생각하는 진리를 실현하는 단 하나의 길은 '아힘사' 였어.
아힘사는 원래 '불살생', 不 아닐 불, 殺 죽일 살, 生 날 생이
합쳐진 말로, '살아 있는 생명을 죽이지 않는다.' 라는 뜻이야.
조심
조심
비켜!
아 힘 사

여기에서 '살생' 은 벌레를 죽인다거나
사람을 죽이는 등 '생명을 죽인다.' 는 좁은
뜻이 아니라
벌레 살려!!

'살아 있는 생명에 해를 끼치지
않는다.' 는 넓은 의미야.
살금
살금

'아힘사' 는 인도 말이지만
간디를 이해하는 데
가장 중요한 단어이니까
알아두는 것이 좋겠지?

이 말 속에는

"인도의 독립을 위하여 영국 사람을 죽이거나
해를 입히는 방법을 사용하지 않는다."
"고기를 먹지 않는다."
"다른 사람을 함부로 대하지 않는다."
"다른 사람의 어려움을 나의 이익을 위해 이용하지
않는다."의 뜻이 포함되어 있고,

간디를 통해 폭력을 사용하지 않는다는
'비폭력' 으로 유명해진 말이야.

내 사전엔
폭력이란
단어는
없거든….
간디
사전

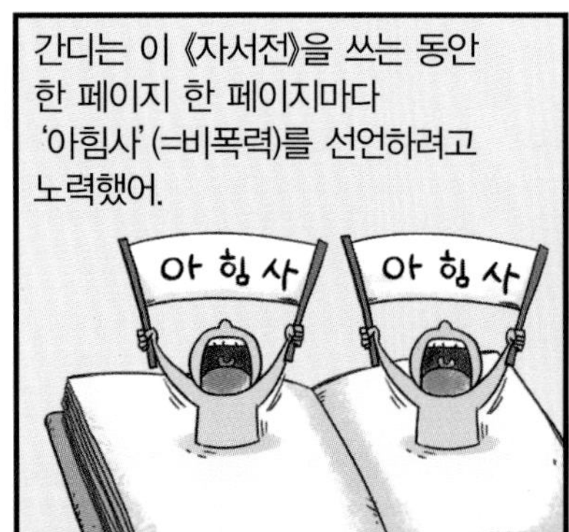
간디는 이 《자서전》을 쓰는 동안
한 페이지 한 페이지마다
'아힘사'(=비폭력)를 선언하려고
노력했어.
아 힘 사
아 힘 사

그러나 자신이 아무리 진지하게
아힘사의 실천을 위해 노력해 왔다
하더라도
진리
아힘사

자서전을 마치는 순간까지도
불완전하고 불충분하다고
고백하고 있어.
난 여전히
목말라~
진리

왜냐하면 진리의 완전한
모습은

'아힘사'가 완전히 이루어진 다음에
나타나는 것이기 때문이지.
뿅
진리

다시 말해 간디의 《자서전》은 그가 '아힘사'의 실천을 위해 진지한 실험을 하는 과정을 담고 있다고 말할 수 있겠지.

간디는 그 과정을 모두 5부로
구성했어.
X 파 일
1
2
3
4
5

1부는 '성장의 시간'으로 어린 시절,
청소년기, 영국 유학 시절의
이야기이고,
1

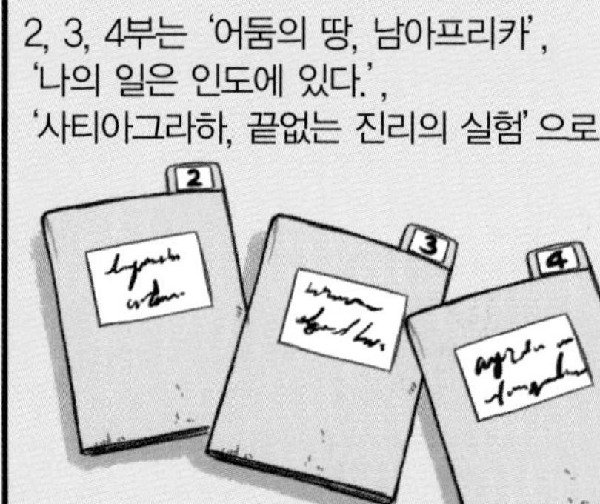
2, 3, 4부는 '어둠의 땅, 남아프리카',
'나의 일은 인도에 있다.',
'사티아그라하, 끝없는 진리의 실험'으로
2
3
4

22년 동안 남아프리카의
인도인에 대한 차별에 맞서
싸운 이야기이고,
파지직
차별대우

5부는 '구원과 투쟁, 다시 민중 속으로'란
제목이며, 인도에 돌아와 농민들을 돕고,
물레 운동을 하는 내용을 이야기하고 있어.

이제 '간디의 진리 실험 이야기'를
듣고 싶은 마음이 들었겠지?
하지만 조건이 있어.

간디가 제시하는 이 조건을 갖추지 못했으면 실험을 같이 할 수 없으니까 잘 기억해야 돼.

키는 좀 컸으면 좋겠고,
얼굴은 평범정도는~
자격조건 미달
I ♥ You

첫째는 《자서전》 속에 여기 저기 들어 있는 권고의 말을 명령으로 이해하지 말라는 것이야.

권고
권고
권고

이 진리 실험 이야기는 하나의 예로 알아야 하고,

난 요렇게 해야지.
예 시

각자 자신에 맞는 자기의 실험을 해야 해.

부글
부글
푸슈
푸슈

그럴 때만 이 진리 실험 이야기가 도움이 될 수 있어.

진리실험

둘째는 겸손해져야 한다는 것이야.

이 까짓 거는 감고도 하지.
자서전

간디의 진리 실험은 아이에게도 가능하지만, 잘난 체하는 어른에게는 불가능하기 때문이지.

장 장..

세상은 티끌을 그 발 밑에 짓밟지만

진리를 찾는 사람은 티끌에게조차도 짓밟힐 수 있을 만큼 겸손해져야 진리의 한 자락이라도 얻을 수 있지.

티끌
옛다
고맙습니다.

사람이 스스로 자기를 세상 모든 것의 맨 끝에 세우지 않는 한, 구원을 얻을 수 없어.

후두둑
아힘사는 바로 겸손이기 때문이지.

자, 그럼 간디의 진리 실험실로 떠나 볼까? 비커나 현미경, 알코올 램프로 가득 차 있는 실험실이 아니라 많은 인도인들과 같이 숨쉬는 위대한 영혼의 실험실로!

제2장 간디는 어떤 사람인가?

- 자신을 다스리고 세상을 섬긴 인도 독립운동의 아버지

간디는 1869년 10월 2일 구자라트 주 '포르반다르' 라는 곳에서 태어났어.

구자라트
포르반다르
응애

포르반다르는 어부와 선주(=배주인)들이 주로 살고 있는 도시로, 흰 돌로 지은 사원과 골목길이 많은 곳이야.

간디의 가문은 수 세기 전부터 '토후국' 의 총리직을 맡아 오고 있었지.

총리
토후국

간디의 가문은 카스트의 최상 계급인 브라만도 아니고, 무사계급인 크샤트리아도 아닌 상인들로 이루어진 바이샤 계급에 속했지만,

이 비단 끝내주는 겁니다..
오! 그건 못뚫는 방패가 없지요!!
크샤트리아
브라만

그 지방에서 꽤 오랫동안 영향력을 행사해 왔어.

내 손 안에 있소이다.
주물럭
주물럭
토후국

왜냐하면 간디의 할아버지, 아버지, 작은 아버지가 차례로 포르반다르 토후의 총리를 지냈고,

1대
2대
3대

간디의 아버지는 나중에 포르반다르는 물론 비슷한 작은 두 나라의 총리직을 맡았거든.

총리
총리

총리라고 해서 지금 우리나라 국무총리가 절대 아냐! 네버~!
주욱

아주 아주 작은 나라의 총리를 말하는 것이야.

도대체 어디야?

영국은 인도를 둘로 나누어 다스리는 방법을 사용했어.

식민지
영국령
토호국

하나는 영국이 통치하는 영국령 인도로 모든 주에는 영국 주지사가 있지.

주
주
주
주
주
주
주
주
주

또 하나는 565개의 토후국으로 이루어져 있었어.

토후국

'토후'란 한 지방에 오래 살면서 그 지방에 영향력을 행사하는 사람으로 '지방 세력가'라고 할 수 있지.

내 말이면 다 끝이쥐~

즉 565개의 토후국은 영국이 직접 다스리지 않고 토후들이 다스리는 나라야.

여긴 나한테 맡기시라니까요.
Good!

토후국의 지배자들 모두가 나쁜 사람들은 아니었지만, 어떤 지배자들은 상아 카펫을 주문하는가 하면

택배 왔습니다!

금실로 짠 옷을 입기도 하고,

자기 부족을 지켜주는 개에게 호화스런 결혼식을 치러주기도 할 정도로 사치스러웠어.

신랑, 신부 맞절~~!
금반지

즉, 토후들은 영국의 앞잡이가 되어
호의호식을 누리는 사람들이었지.
리모컨
샤샥

영국은 이런 분할 통치의 방법을 이용하여 겨우 만 명의 장교가
이끄는 6만의 영국군과 20만의 원주민 군인만으로 3억 인구가 살고
있는 거대한 영토를 철저하게 통제할 수 있었지.
앞발 들어!
영국군

간디의 아버지는 열여섯 살에 결혼을 하고,
스물다섯 살에 재혼을 했어.
또 해?
아… 아니
그게 아니라….

첫 번째 부인과 두 번째 부인에게서 딸을 하나씩 두었는데,
두 부인 모두 아들을 낳지 못하고 죽었어.

세 번째 결혼에서는 자식이
없었어. 세 번째 부인은 불치병에
걸려 평생을 고생했다고 하는데,

세 번째 부인의 허락을 얻어 부인이 있는 상태에서
사십줄의 간디 아버지는 아직 십대를 벗어나지 못한
'푸틀리바이'와 다시 결혼을 했어.
나이차가 너무
많이 나지?

이 분이 바로 간디의 어머니야. 간디의 어머니는
딸 하나와 아들 셋을 낳았지.
3남1녀

그 중 네 번째,
막내아들이 바로
간디야.

간디의 아버지는 그의 친척들을 사랑하고, 진실하고, 용감하며, 관대하고, 청렴결백한 사람이었어.

흠잡을 데가 없는 사람이었죠.
무슨 소릴 하는거야?!
결혼 많이 한 거 빼곤….

안에서나 밖에서나 공평하고 충성스러운 사람으로 이름이 높았어.

간디 아버지!
킹 왕 짱!
멋져부러!
멋져부러!

재산에 대한 욕심은 없어서 간디의 형제들에게 유산을 거의 남기지 않았어.

텅
텅
금고

아버지는 학교 교육을 받지는 못했지만 풍부한 경험으로 아주 복잡한 문제도 해결하고 수백 명의 사람들을 관리하는 분이었다고 해.

X
자자… X는 오른쪽, O는 왼쪽으로!
O

간디의 어머니는 신앙심이 매우 깊은 사람으로 종교를 목숨이나 다름없이 여겼어.

그녀는 글을 알지 못했지만 아는 것이 많았고, 기도와 금식으로 매일 매일을 보내는 사람이었지.

간디의 기억에 어머니가 남긴 가장 강한 인상은 성자 같은 모습이었어.

간디는 아버지에게서는 고집스러움, 청렴결백한 태도, 실용적 감각을 물려받았고, 어머니에게서는 신앙심, 헌신성, 금욕주의*를 물려받았지.

고집
청렴결백
실용성
헌신
신앙심
금욕

***금욕주의** – 정신적, 육체적 욕망을 참아 훌륭한 삶을 살고자 하는 태도.

간디는 힌두교의 한 종류라고 할 수 있는 비슈누교의 영향 아래서 성장했고,

자이나교의 영향도 많이 받았어.

두 종교는 '모든 생명을 신의 창조물'로 보고 신성하게 생각하여, 농작물을 해치는 야생동물도 죽이지 않았지.

천국이 따로 없구먼. ㅋㅋ

간디의 집에는 온갖 종교의 성자와
현자들이 찾아왔어.

간디의 집은 자이나교도가 아니었지만
자이나교 수도승들이 자주 찾아와
먹을 것을 가져가기도 했고,

아버지의 친구 중에는
이슬람교도도 있었다고 해.
Hi

간디는 이런 집안 분위기 속에서 성장하면서 모든
종교를 인정하는 태도를 가지게 되었어.
이 종교는 이런 매력이 있구나.

이런 분위기 덕분에 간디는 매우 종교적인
사람이면서도 다른 종교에 대해 늘 열려 있는 자세를
가진 사람이 될 수 있었던 거지.
모든 종교야! 나에게 오라!

‘모니야’라는 애칭으로 불린 어린 시절의 간디는
가족의 응석받이이자 귀염둥이로 자랐어.
모니야!
엄마!!

간디는 구구단을 외우기 어려워했던 초등학교 시절의
자신에 대해 “머리가 둔하고 기억력도 나쁜 아이”였다고 해.
4×6=??
18
25
23
17
21
26
19

우리나라의 중 · 고등학교 과정인
앨프레드 중학교 시절, 간디는
그저 평범한 학생이었어.
앨프레드 중학교

체질이 약하고, 수줍음도
많았지만 시간만은 잘 지키는
소년이었지.
겨우 1등이다

학교가 끝나면 누구와도 이야기를 나누지
않고, ‘다른 사람이 놀릴까봐 겁이 나서’
집으로 달려오곤 하던 그런 소년이었지.
간디 못 봤냐
몰라

그렇다고 열등생은 아니었어. 언제나 선생님들의 귀여움을 받았지.

간디의 기억으로 자신은 공부를 잘하는 학생은 아니었는데, 상을 받거나 장학금을 타기도 했다고 해.

간디야!
이쪽이란다.
하하하
짝
짝
짝
짝
짝
짝

간디는 열세 살이 되던 해 카스투르바이라는 소녀와 결혼했어.

그리고 지금의 너희들처럼 사춘기를 겪게 되지.

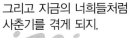

아 아~
목소리가
이상해~

1887년 열 여덟 살의 간디는 대학 입학 자격시험을 치려고 근방의 큰 도시인 아메다바드로 갔어.

아메다바드

간디는 총점 625점 중 247점을 맞아 간신히 합격해 어쨌든 대학에 들어갔지.

결과가
중요한 거야.
합격증

그리 크지 않은 작은 대학이었는데도 간디의 성적은 형편없었지.

말도 안돼! 캠퍼스가 너무 작아~!

성적표

더구나 처음으로 가족과 떨어져서 아내 없이 살다 보니, 향수병과 두통, 자주 터지는 코피로 고생을 하게 되고, 결국은 집으로 돌아와 버렸어.

아!
머리 아파~
집 나오면
고생이라니까.

집으로 돌아온 간디는 공부하기도 싫은 데다 대학의 1학년 말 시험을 통과할 가망도 없어 어찌할 바를 몰랐어.

좋아!
결정했어!

그래서 가족에게 도움을 주는 한 어른을 찾아가 도움을 청했지.

넙죽
Help
me!!

그는 아버지의 자리를 이어가려면 영국에 가서 변호사가 되는 게 좋겠다고 충고했어.

여긴 네 꿈을
펼치기엔 너무
좁아….

인도보다 영국이 변호사가 되기도 쉽고 시간도 훨씬 덜 걸리기 때문이었지.
변호사 자격증

19세의 간디는 영국으로 가 런던의 이너 템플이라는 법학원에서 공부를 해서 21살에 변호사 자격을 얻어 인도로 돌아왔어.
변호사증
이너 템플법학원
겨우 잡았네..

가족에게 엄청난 경제적 부담을 안기며 얻은 변호사 자격이었지만, 인도로 돌아온 간디는 변호사로서 성공하지는 못했어.
변호사! 반론 제기 하시오!
딸꾹

처음 맡은 소송에서 너무 떨려서 아무 말도 못하고 주저앉아 버렸거든.
기권

그러던 중, 형이 아는 사람이 간디에게 남아프리카의 소송 사건을 의뢰해 왔어.
나에게 의뢰가 들어오다니..
전보
소송의뢰

그 일은 별로 매력적인 제안은 아니었지만, 인도를 떠나고 싶어서 24살의 나이에 가족을 남겨둔 채 혼자서 남아프리카로 떠났어.

1년 기한을 생각하고 떠난 남아프리카에서 간디는 무려 22년을 살았어.
내 청춘을 다 바친 곳이지….

남아프리카로 떠날 때 간디는 영국식 신사 복장을 쫙 빼입고, 꼭 1등석을 타고, 영국 없는 인도는 있을 수 없다고 믿는 영국식 생각이 들어찬, 20대의 젊은 변호사였지.

그러나 22년 후인 1915년, 46살에 인도로 돌아올 때의 간디는 인도 노동자의 복장을 하고, 3등석을 타는, 인도 사람들의 새로운 지도자로 변해 있었어.
간디
간디
간디

남아프리카에서 간디는 맡은 사건을 잘 처리해서 성공한 변호사가 되었지만 자신의 성공에만 머무르지 않았거든.

인도인
제도개선
나의 성공이 문제가 아냐.

피닉스 정착촌, 톨스토이 농장을 만들어 사람들과 함께 공동체 생활을 하면서, 남아프리카 인도인의 삶을 개선하기 위한 여러 가지 일들을 앞장서서 해결했어.

공동
회의

인도인들의 선거권을 박탈하려는 것,

너희가 선거를 알아?

인도 노동자들에게 부당한 세금을 내도록 하려는 것,

내놔! 그나마 3파운드인 걸 감사해.

인도인들에게 지문 등록을 강요하고 이를 거부하면 벌금이나 강제 이주, 또는 징역에 처하려는 것,

빨리 찍어~!
싫다니까~
인도인 통제정책

기독교도 간의 결혼만을 인정하는 것 등에 대하여 '사티아그라하' 운동을 펼쳤어.

이래도 네가 버티나 보자!

인도인 제도 개선촉구

'사티아그라하'는 '진리의 힘'이라는 뜻으로 잘못된 것을 폭력 없이 공개적으로 거부하는, 간디의 비폭력 운동을 부르는 말이야.

헉헉….
끈질긴 놈….

간디는 이런 활동으로 인도 사람들의 존경받는 지도자가 되었어.

인도로 돌아온 간디는 정치적으로는 침묵을 지키며 힌두교 복장을 하고, 3등석을 타고 온 나라를 돌아다녔어. 이 여행은 간디에게 진짜 인도의 모습을 깨닫게 해 주었지.

또한 남아프리카에서처럼 '아슈람(=공동체)'을 만들어서 뜻을 같이 하는 사람들과 공동체 생활을 시작했어.

1917년, 48살의 간디는 '참파란 지방'(어팔 근방)의 농민들이 영국인 지주들의 부당한 세금에 시달리는 문제를 해결해주기도 하고,

간디가 나타났다~!

아슈람 근처 방직공장 노동자들의 파업을 도와 임금을 올려 받을 수 있도록 하는 등 진짜 인도 사람들을 위한 일들을 했어.

임금인상하라
인상하라!

이런 일들은 인도의 다른 지도자들의 모습과는 매우 다른 것이었어.

간디랑 비교하지 말아줘 힝~

인도인들의 대표 단체인 '인도 국민회의'는 당시 인도의 보통 사람들과는 거리가 있었거든.

인도 국민회의
다가오지 마!

원래 이 단체는 영국인들이 인도의 상류층 사람들을 잘 구슬려서 인도를 통치하는 데 이용하기 위해 만든 것이었어.

상류층
앗! 뜨거..

일본이 우리나라를 통치하기 위해 '친일파'들에게 높은 작위를 준 것과 비슷한 것이지.

충성!

그래서 '인도 국민회의'의 지도자들은 인도사람들과는 상당히 거리가 있었어.

이 매국노!

1914년부터 1918년까지 영국, 프랑스, 러시아 가 독일, 오스트리아, 헝가리 와 싸운 최초의 세계 전쟁인 제1차 세계 대전이 있었어.

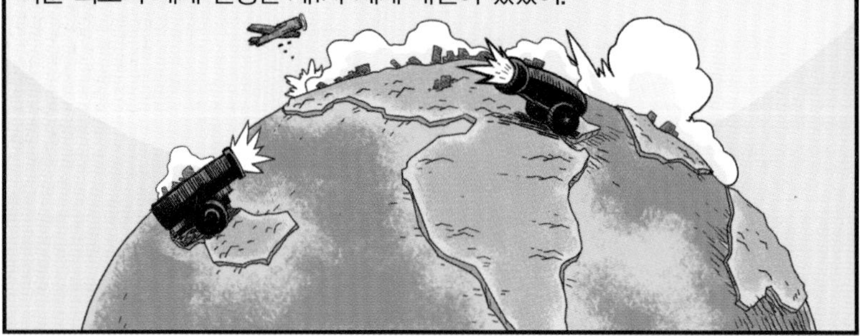

인도는 전쟁에 참여하지 않았지만, 영국이 전쟁을 하고 있었으므로 전시체제였다고 할 수 있었지.

언제 불똥이 우리한테 튈지 몰라.

그런데 1919년, 전쟁이 끝났는데도 영국은 재판 없이 사람을 잡아 가둘 수 있는 '롤래트' 법이라는 것을 시행하려고 했어.
롤래트 법 통과!!
땅
땅
땅

이런 법은 자유를 심각하게 제한하는 것이기 때문에 전쟁 중에나 시행하는 것인데도 말이야.
왜냐하면
내 맘대로 거든….

그래서 간디는 전 인도 사람들이 상점의 문을 닫고, 학교에도 가지 않고, 공장도 가동을 멈추는 '전 인도의 총파업'을 일으켰어.
간디

깜짝 놀란 영국은 평화적인 집회를 벌이고 있던 사람에게 총을 쏘아서 300명이 죽고 1000여 명이 다치게 만들었지.
탕 탕 탕 탕 탕 탕 탕

간디는 너무 괴로운 나머지 총파업 중지를 선언하고, 단식에 들어갔어.
단식 선언

이 일로 인해 간디는 영국을 다르게 보게 됐지.
캬캬캬

남아프리카에서 간디는 영국이 네덜란드와 전쟁(보어전쟁)을 할 때 스스로 사람들을 모아 영국을 돕기도 했어.
인도는 대영제국 내에서 대영제국을 통해 완전한 독립을 달성해야 해.

하지만 이제 간디는 이렇게 선언했어.
대영제국은 오늘날 악마주의를 대표합니다. 그들은 극악무도한 죄를 저질렀기 때문에 신과 이 나라에 용서를 빌지 않으면 멸망하고 말 것입니다. 나아가서 대영제국이 사과하지 않으면 대영제국을 멸망시키는 것이 모든 인도인의 의무가 될 것입니다.

1920년 간디는 인도에서 가장 영향력 있는 정치 지도자가 되었어. '인도 국민회의'를 바꾸어 대도시의 중산층부터 시골의 작은 마을까지 사람들이 참여하는 대중적인 조직이 되게 했지.
인도국민회의

1921년 간디는 사람들에게 대영제국을 무너뜨리기 위해 영국을 거부하는 새로운 투쟁의 방법을 제안했어.
영국

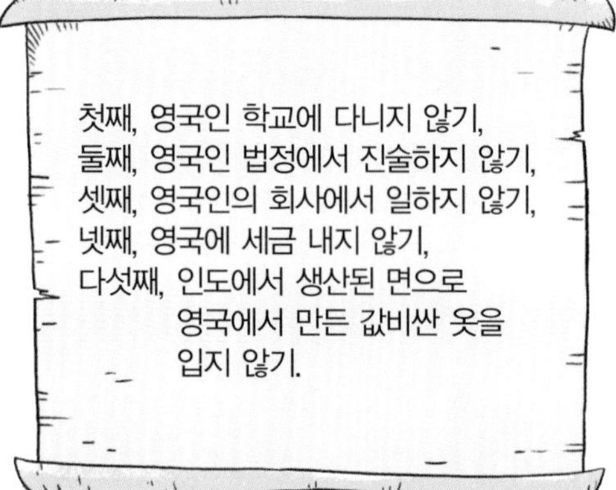
첫째, 영국인 학교에 다니지 않기,
둘째, 영국인 법정에서 진술하지 않기,
셋째, 영국인의 회사에서 일하지 않기,
넷째, 영국에 세금 내지 않기,
다섯째, 인도에서 생산된 면으로 영국에서 만든 값비싼 옷을 입지 않기.

간디가 개최한 집회가 끝나면 사람들은 영국제 바지와 셔츠 등을 모두 벗어 던져 완전히 벌거숭이가 되었대. 그러면 간디가 미소를 지으며 쌓인 옷에 성냥불을 갖다 대었지.

사람들은 전통적인 옛날 물레로 스스로 면을 짜기 시작했어.

간디도 매일 물레로 실을 짰고 국민회의의 깃발에도 물레가 들어갔어.
국민회의

간디하면 떠오르는 물레는 인도 독립운동의 상징이 되었지.

그러던 중 1922년 '차우리차우라' 라는 곳에서 시위를 하던 군중들이
경찰관을 폭행하고, 산 채로 화형에 처하는 일이 생겨버렸어.

간디는 이러한 폭력에 깜짝 놀랐고,
'사티아그라하', 즉 비폭력 운동을
폐지했지.

영국은 간디를 체포해서
6년형을 선고했어.

체포 당시 간디는 자신을 '변호사' 라고
말하지 않았어.
직업은?
농부이며
천을 짜는 사람.

간디는 감옥에서 맹장염 수술을
받아 2년 후인 1924년
석방이 되었어.

간디가 감옥에 있는 사이 독립운동은
지도자를 잃고 중단되었고, 힌두교와 이슬람교
사이에는 심각한 대립이 전개되고 있었어.
힌두교 VS 이슬람교

간디는 힌두교와 이슬람교 간의
화해를 위해 21일간의 단식을
했어.
1
2
3
4

1920년대 중반기에 간디는
정치활동에 관심을 거의
보이지 않았는데,
흥!
정치

1927년 영국이 인도인을 배제하고
'인도통치법위원회' 라는 것을
설치하였어.
인.통.위
인도
철컥

간디는 다시 인도 국민회의를 이끌며 1928년까지 1년 이내에 인도에게
주권을 달라는 요구를 내걸고 인도가 완전한 독립을 달성할 때까지
전국적인 비폭력 운동을
전개하겠다고 선언하고,
내 나라를
달란 말이야!

다시 사티아그라하를
시작했어.
탕

바르돌리라는 지방에서 8만7천 명의 사람들이
22%나 되는 세금 인상을 거부했지.

가축과 땅, 집안 살림살이를
빼앗기면서 사람들은 세금
인상에 거부했어.
끙~ 이래도 버티나 보자!

경찰의 몽둥이질과 체포가 곳곳에서
일어났지만 사람들의 저항은 계속되었어.
경찰서

결국 영국 정부는 투옥된 사람들을 석방하고 땅과
살림살이, 가축을 돌려주고 세금을 원래로 돌려 놓았지.
정부
와아아

당연히 모든 인도 사람들이
간디의 비폭력운동을 따라한
것은 아니었어.

비폭력 운동이 벌어지고 있는 사이에
한쪽에서는 살인과 폭력을 일삼는 테러도
일어나고 있었어.

국민회의 안에서도 인도 독립에
대한 다양한 방법이 제시되고
있었어.
전쟁 선포
독립 선언

어떤 지도자들은 당장 독립을 선언하고
영국과의 전쟁에 들어가자고 주장하기도
했지.
그냥 확 저질러 부려~!

비폭력주의자 간디에게 전쟁은
독립의 좋은 방법이 아니었지.
그...그렇게 할까?
1년 후인 1929년 12월 31일까지
아무것도 변한 것이 없으면
독립을 선포합시다.

상황이 최악으로 치닫자 영국 총독은 최초로 인도의 대표들과 회의를 하겠다고 알려왔으나 영국의 상원과 하원에서 이 회의를 금지시켜 버렸어.

회의 금지

이런 황당한 일이...

약속한 대로 1929년 12월 31일 자정이 되자 국민회의는 인도의 독립을 선포하고,

인도독립
치이익

1930년 3월 2일 간디는 9일 후에 소금에 매겨지는 세금의 폐지를 위해 사티아그라하가 시작될 것이라고 통고했지.

등기 왔어요!

간디는 항상 어떤 운동을 시작하기 전에 총독에게 알렸거든.

또?

적이 방심한 틈을 타서 공격해야 성공의 가능성이 높은 것이 당연하지만,

간디는 상대의 어려움을 이용하여 승리를 얻는 것은 옳지 않다고 생각했으니까.

정정당당히 이길 거야!
살려만 주세요~

3월 12일 간디는 79명의 청년과 함께 행진을 시작했어.

간디와 그를 따르는 사람들은 매일 1시간씩 물레를 돌리며 걸었지.

자! 이제 행진합시다!

그가 거쳐간 곳 중에 300명의 촌장들이 직책을 내놓았고 마을마다 수백 명씩 행진에 참여했어.

간디는 모인 군중에게 비협조의 의미를 이렇게 설명했어.
오늘 우리는 소금법에 도전하고 있습니다. 내일 우리는 다른 법들을 휴지통에 집어넣어야 합니다. 이런 식으로 우리가 비협조를 실행에 옮기면 결국 행정은 마비될 것입니다. 정부더러 우리에게 규칙을 적용하고,
우리에게 총을 쏘고, 우리를 감옥에 보내고, 우리를 교수형에 처하라고 하십시오. 그러나 얼마나 많은 사람들에게 그런 벌을 내릴 수 있겠습니까? 영국인들이 3억 명을 교수형에 처하는 데 시간이 얼마나 걸릴지 계산해 보십시오.

60살 먹은 노인이 지팡이를 손에 들고 손으로 짠 옷감으로 만든 인도 옷을 입은 사람들과 함께 인도의 흙길을 따라 힘차게 걸으면서

강력한 대영제국에 평화적으로 도전하는 모습은 전 세계 수많은 사람들의 관심과 공감을 불러 일으켰어.
뭘 보냐니까! 창피하게

간디의 행렬이 바닷가에 이르렀을 때 사람들은 수천 명에 달했어. 그들은 무려 24일이나 걸었지.

간디는 바닷가에서 몸을 구부려 한 줌의 소금을 집어 올렸어.

이어서 많은 사람들이 법을 어기고 소금을 줍고, 소금을 팔았어.
소금완전대박세일

6만 명의 사람들이 투옥되었고, 간디도 체포되었어.
꾸역 꾸역
감옥

그러자 소금행진은 간디의 아들과 다른 여성 지도자에게 맡겨졌어.
아버지의 이름을 걸고 행진~!!
와아아!!

2500명의 인도인들은 '다라사나'라는 소금공장으로 갔지.
다라사나

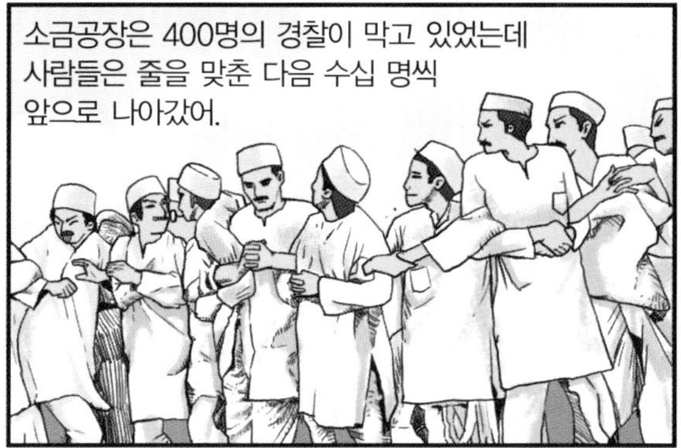
소금공장은 400명의 경찰이 막고 있었는데 사람들은 줄을 맞춘 다음 수십 명씩 앞으로 나아갔어.

경찰은 사람들에게 달려들어 강철 곤봉으로 머리를 사정없이 내리치기 시작했어.
퍽

그러나 매를 막으려고 팔을 들어 올리는 사람조차 없었어. 그들은 마치 볼링 핀처럼 쓰러졌어.
곤봉에 맞은 사람들은 널브러져 의식을 잃기도 했고, 머리가 깨지고 어깨가 부서져 고통에 신음했지.

첫 번째 대열이 쓰러지자 다음 대열이 나아갔어.

이런 일이 며칠간 계속되었어.
19
18
17

현장에 있었던 외국기자에 의해 이 사건은 전 세계에 알려졌어.
간디가 일냈슈~

1년 뒤 간디는 총독인 어윈 경과 협상을 맺어 운동을 끝내고 런던에서 열리는 원탁회의에 국민회의의 대표로 참가해 인도의 독립에 대해 의논하기로 했어.

영국의 수상 처칠은 "반 벌거숭이 중놈이 영국 황제의 대리인과 협상을 한다."고 노발대발했지만 말이야.

우당탕탕
으아아!
쾅쾅

간디는 원탁회의를 위해 런던으로 갔어.

영국의 언론들은 간디를 따라다니며 칭송했고,

인도영웅간디영국방문

간디가 불태웠던 면직물 공장의 노동자들까지 간디에게 환호했지만

간디는 아무것도 얻은 것이 없이 인도로 돌아와야 했어.

배 멀미가 심해서….

간디가 돌아와 보니 모든 것이 엉망이었지.

거부 운동
집회
자치권

오히려 자치권은 줄어들었고,

자치권
푸시시시..

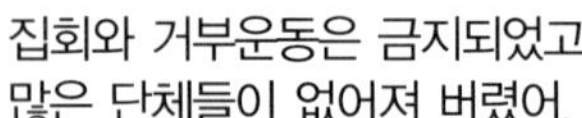
집회와 거부운동은 금지되었고, 많은 단체들이 없어져 버렸어.

집회금지

새로운 총독이 강력한 정책을 펼쳤던 거야.

크크크

간디는 다시 감옥에 갇혔고 다른 때처럼 감옥에서 독서하고 명상하며 휴식의 시간을 보냈어.

그러던 중 영국이 불가촉천민에 대해 독립선거를 실시하려는 결정을 내렸어.
빨리 빨리
간디 없을 때에~!!

불가촉천민은 인도의 신분제도인 '카스트'에도 속하지 못하는 최하층민을 말하는 것인데, 말 그대로 접촉할 수도 없는 사람들이라는 뜻이야.
앗! 따가워..
움찔

간디는 이것에 반대해서 또 목숨을 건 단식에 들어갔어.
독립선거반대

간디는 모든 사람들이 만나는 것조차도 부정 탄다고 생각하는 불가촉천민을 '하리잔' 즉 '신의 아이들'이라고 부르며 불가촉천민에 대한 차별에 적극 반대하는 사람이었거든.
크으~ 따가울텐데..
절대 사랑
오오~

그러나 이것에 대해서는 여러 가지 평가가 있어.
난 사랑했을 뿐이라고!!

독립 인도의 초대 법무장관을 지낸 불가촉천민 출신 '암베르카드' 같은 사람은

독립선거가 불가촉천민에 대한 차별을 없애는 방법이기 때문에 간디의 단식이 어이없는 일이라고 생각했대.

냉큼 일어나서 이유를 말해 보세유..!!

어쨌든 간디는 독립선거가 힌두교에서 불가촉천민을 분리시키는 것이기 때문에 나쁘다고 생각했어.
힌두교

이미 간디는 62살의 할아버지였기 때문에 단식 며칠 만에 죽을 고비를 맞았어.

사람들은 간디의 목숨을 구하기 위해
협상에 들어갔고,
협상중

지방의회에서 불가촉천민에게
주어진 의석의 수를 늘리고

불가촉천민이 먼저 선거를 해서
각 의석당 4명의 후보를 선택하면

힌두교도들이 그 중에 한 명을 선택하는
방법에 대해 의견의 일치를 보았어.

죽어가던 간디는 오렌지 주스 한 컵을 마시고 단식을 끝냈어.
The END

이 일로 천 년 동안 불가촉천민들에게
닫혔던 사원이 열리고,

그들이 마을 우물을 사용하는 것을 허락했으며, 간혹 그들의 몸에
손을 대기도 했지.
괜찮겠지?

그 후 간디는 감옥에서 석방되었고, 1934년에는
국민회의에서도 물러났지.
은퇴식

간디는 계속해서 '하리잔(=불가촉천민)'들에 대한
차별을 없애기 위해 노력했어.
하리잔도
우리의
형제입니다.

정통 힌두교도들은 하리잔 편에 선 간디를 비난하기도 하고,
우우~

간디가 탄 자동차의 뒷 유리를 깨기도 하고
흥! 간디 메~~롱!
저놈 잡아라!

심지어 간디에 대한 암살을 기도하기도 했지.

1939년 제2차 세계 대전이 일어났어.

인도의 부왕은 인도인들과 상의 없이 전쟁에 참가했어.

충성!
잘 보여야지!!

인도의 국민회의는 전쟁 후 독립을 조건으로 영국에 군사 지원을 제안했고,
군사지원 제안서

간디는 다시 국민회의를 이끌기도 했지.
국민 회의
인도의 독립을 위해~ 끙^

1942년 간디는 최후의 불복종운동을 시작했고, 사람들에게 영국에 대항하여 비폭력운동을 벌일 것을 호소했지.
인도를 떠나라! 영국인들이여! 인도제국을 떠나라!

간디는 많은 지도자들과 함께 체포되었고,
예라브다 감방에 갇히게 되었어.

영국은 국민회의와 관련된 모든 것을 탄압했어.
인도인 출입금지

시위대는 흥분했고,

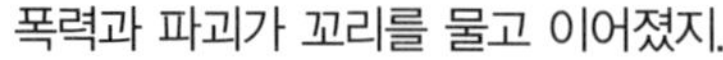
폭력과 파괴가 꼬리를 물고 이어졌지.

크아앙
폭력
파괴

경찰서가 파괴되고, 관공서가 불타고,
철도가 끊어지기도 했어.
경찰서
관공서

총독은 모든 폭력행위의 책임이 간디에게 있음을 증명하기 위해 애썼고,
재… 재가 그랬대요~!

간디는 이에 항의해서 또 3주 동안
단식을 했으나, 별 성과를 얻지는
못했어.
윽!
약발이 다됐나?!
휘청

그러는 동안 같이 감옥에 갇혀 있던 양아들이자
비서였던 데사이가 젊은 나이에 세상을 떠났고,

62년을 함께 산 아내마저 죽고 말았어.

처칠은 늙은 간디가 영광스럽게도 감옥에서 죽는 걸 보게 될까봐 간디를 석방했지.
남 잘되는 꼴 못 보거든~

간디는 평생에 걸쳐 아프리카의 감옥에서 249일을 살았고, 인도의 감옥에서 2089일을 살았어.

1945년 전쟁은 연합군의 승리로 끝났어.
연합군
You win!!

그해 치러진 총선거에서 처칠은 낙선했고,
총선거
안돼~~!!

영국은 새로운 수상이 뽑혔어.
클레멘트 애틀리

클레멘트 애틀리는 인도의 총독에게 인도 독립의 과제를 맡겼어.
인도 독립

그러나 인도 독립은 새로운 문제에 부닥치게 되었어.
종교 대립
인도 독립

이슬람 연맹의 지도자 진나가 '이슬람교의 파키스탄'과 '힌두교의 인도' 즉, 두 개의 인도로 독립할 것을 주장한 거지.

힌두교도들을 비롯한 많은 인도인들과 영국인들은 두개의 인도가 되는 것이 좋지 않다고 생각했어.
어떻게 그럴 수 있어?
넌 좀 빠져!!

진나의 이슬람연맹이 파키스탄의 땅이 되기를 바라는 지역은 동서로 1000km 이상 떨어져 있는 데다가
예약
저기가 딱인데….

그 지역에는 이슬람교도만 살고 있는 것이 아니라 힌두교도나 시크교도도 살고 있었고,
땅 절대 안팔아!

파키스탄 이외의 지역에도 이슬람교도들이 많이 살고 있었거든.
거긴 너무 멀어서….

진나는 1946년 8월 16일을
'직접 행동의 날'로 선언했어.

끔찍하게도 나흘 동안 5천 명이 죽고 1만5천 명이 다쳤으며 10만 명 이상이 집을 잃었어.
어디서 우리 힌두교를 때려?!
힌두교도는 다 도둑놈들이다!!
엄마~!!

이슬람 교도가 많이 살고 있는 벵골지방에서는 이슬람교도가 힌두교도를 죽이고 여자를 성폭행했고,
포르반다르
뭄바이

비하르 지방에서는 힌두교도들이 만 명 이상의 이슬람교도들을 학살했지.
포르반다르
뭄바이

이슬람교도와 힌두교도가 서로 죽고 죽이는 상황이 벌어진 거야.
푹
푹

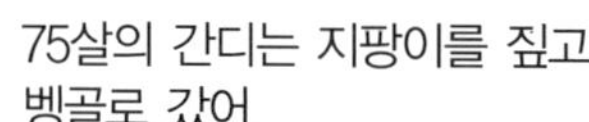

75살의 간디는 지팡이를 짚고
벵골로 갔어.

날마다 이슬람교도나 힌두교도의
집에서 자면서

오직 걷고 기도하며 힌두교와 이슬람교가 서로에 대한 증오를 버리고 서로 도우며 살자고 호소했어.
우린 같은 인도인입니다. 제발 서로의 증오를 버립시다!

그러나 간디의 영향력은 많이 줄어 있어서 간디가 받은 편지에는 욕과 증오가 가득했지.
나쁜 간디!
나쁜 간디!
우~
물러가라!!

얼레리
꼴레리

힌두교도가 보내는 편지는 간디가 이슬람교도 편을 든다고 '진나의 노예', '마호메트 간디'(마하트마 대신 이슬람교의 신인 마호메트를 넣어 조롱하는 것)라고 부르기도 했고,

이슬람교도가 보내는 편지는 파키스탄의 건국을 방해하지 말라고 쓰여 있었어.

꺼져!
우드득..

와아아
와아아

1947년 8월 15일 인도는 마침내 독립했고,

만 세~

파키스탄도 독립했어.

간디가 그렇게 바라던 독립이었지만 간디는 독립기념식에 참여하지 않았고, 아무런 메시지도 발표하지 않았으며 단식하는 것으로 만족했지.

단식중

얼마나
슬프신지 식사도
못 하고 계세요.

인도와 파키스탄 두 나라가 생기자 역사상 최대의 집단 이주가 시작되었어.
이슬람교도들은 인도에서 파키스탄으로 힌두교도들은 파키스탄에서 인도로…
1200만 명의 피난민들이 살던 마을과 집을 떠나 새로운 나라로 출발했어.

이 과정에서 더위와 벌레,
배고픔과 공포로 처음에는
작은 사고들이 일어나더니
후두룩
쩝 쩝

곧 서로를 죽이고 폭력으로
번져 나갔어.
니가 그랬지?
뭔소리야?

50만 명의 사람들이 희생되었고, 캘커타가
폭동에 휩싸였지.

50만 명은 우리나라 인구의
약 1/100에 해당하는 숫자야!
5백만
5백만
5백만
5백만
5백만
5백만
5백만
5백만
5백만
5백만

힌두교와 이슬람교 간의 갈등이
얼마나 심각했는지 짐작이
되지?
종교 대립
아직도
갈등나!

9월 1일 간디는 목숨을 건 단식을
시작했어.
최후의 단식

여러 집단의 대표들이 간디에게 단식의
중단을 호소하며 찾아왔지.

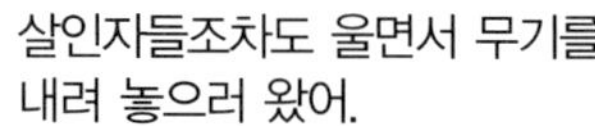
살인자들조차도 울면서 무기를
내려 놓으러 왔어.

그래도 간디는 단식을 멈추지
않았어.
다
끝난 거
아니었어?

9월 4일 24시간 동안 캘커타에
완전한 평화가 유지되었다는 보고가
들어왔어.
Peace

간디는 힌두, 이슬람, 시크교 지도자들이 종교집단 간의 갈등을
허용하지 않으며 그것을 막기 위해 죽을 때까지 노력하겠다는 문서에
서약을 하자 단식을 끝냈어.
각 서
우리는 죽을 때까지
종교 집단의 갈등은 절대
없다.

간디는 마지막으로 남은 수도인 델리로 가서 수행원도 없이 피난민들의 캠프를 찾아 다녔지.
파키스탄
중국
델리
캘커타

간디가 머문 덕분에 델리의 폭동은 진정되었지만, 간디는 경찰과 군대가 없으면 상황이 걷잡을 수 없을 것임을 알았어.
워~ 워~
폭동

1948년 1월 12일 간디는 모든 종교집단이 마음으로 하나가 되기를 바라며 다시 단식을 시작했어.
아까 최후의 단식이었는데..??
요번이 진짜!!
단식

다시 사람들의 행렬이 줄을 잇는 가운데 간디는 이슬람교도들의 생명과 재산을 보호할 것을 약속하는 문서를 받고 1월 18일 단식을 풀었어.
인도의 평화와 화해를 위해….
각서

단식이 끝나고 이틀 후인 20일 간디가 머물고 있던 곳에서 폭탄이 터졌어.
펑

간디를 암살하려던 범인은 곧 체포되었지.
잘못 했어요..

그 사람은 과격한 힌두교 단체 소속으로 간디가 마지막 단식을 풀면서 요구했던 것 때문에 불만을 품고 있었던 거야.
터트려 버릴거야~
불만

간디는 통일인도의 현금 재산 중에 5억 5천만 루피를 파키스탄에 돌려주라고 요구했지.
재산분배

원래 이 돈은 파키스탄의 몫이었는데 인도와 파키스탄 사이에 싸움이 일어나자 정부에서 지급을 미루고 있었거든.
당연하지!! 싸우면 그걸로 끝이지!!

1948년 1월 30일, 78살의 간디는 평소처럼 오전 3시 30분에 일어나 아침기도를 하고,

꾸벅
꾸벅

국민회의의 새로운 규약을 손질하고, 편지들에 답장을 썼지.

내무장관은 간디의 기도회에 참석하는 사람들을 수색해야 한다고 요청했지만 허락하지 않았어.

하지 말란다고 안하냐?

오후 5시 10분 간디는 공개 기도회장으로 나갔어.

간디가 기도회 때에 앉는 나무 단상 쪽으로 몇 걸음 떼어 놓자 모인 사람들이 길을 터주며 그의 발을 향해 고개를 숙였지.

간디는 잠시 그 유명한 '이 빠진 웃음'을 지으며 합장을 했어.

순간 땅딸막한 젊은 남자가 군중을 밀치며 나와 간디를 향해 총을 세 발 쏘았어.

탕탕탕

간디는 신의 이름을 나직이 흘리며 쓰러졌어.

오! 라마! 라마!

암살범은 지난번 폭탄 사건의 범인과 같은 단체에 소속된 나투람 고드세라는 사람이었어.

그는 전적으로 자기의 신앙심에서 간디를 암살했다고 주장했고, 후에 교수형을 선고 받았지.

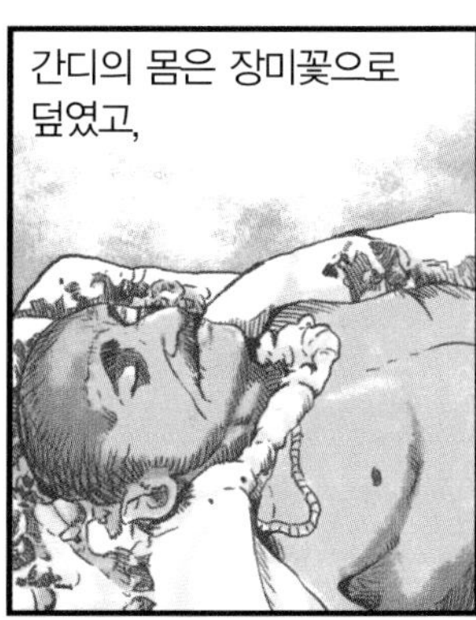
간디의 몸은 장미꽃으로
덮였고,

200명의 군인이 끄는 받침대 위에 관이 놓이고 그 위로는 국기가 덮어졌어.

화장터에 200만 명의 인도인들과 세계 여러 곳에서 유명한 사람들, 높은 사람들이 간디에게 국가 원수로서의 경의를 표했어.

"한 위대한 생명이 우리의 곁을 떠나갔습니다.
부자도 아니었으며 권력과도 거리가 먼 평범한 사람이었습니다.
마하트마 간디는 군대의 사령관도, 넓은 대륙의 통치자도 아니었습니다.
과학적 업적을 이루거나 예술적 재능을 가진 사람도 아니었습니다.
그러나 세계 각지의 사람들과 정부의 지도자, 유명 인사들은
자그마한 키에 천을 두른 이 분을 추모하기 위해 오늘 모였습니다.
바로 인도의 독립을 가져다준 사람입니다. 그는 겸손과 진리가
제국주의보다 강한 것임을 알려주신 분입니다."

죽을 때 그는 아슈람에서 만든 두 켤레의 샌들, 도둑 맞았다가 도둑이 다시 돌려 준 시계 하나, 간디가 몸에서 떼어 놓은 적이 없는 힌두교의 경전, 이슬람의 경전 몇 권과 두 손을 귀에, 눈에, 입에 대고 있는 상아로 만든 세 마리 원숭이 외에 아무것도 소유하지 않았대.

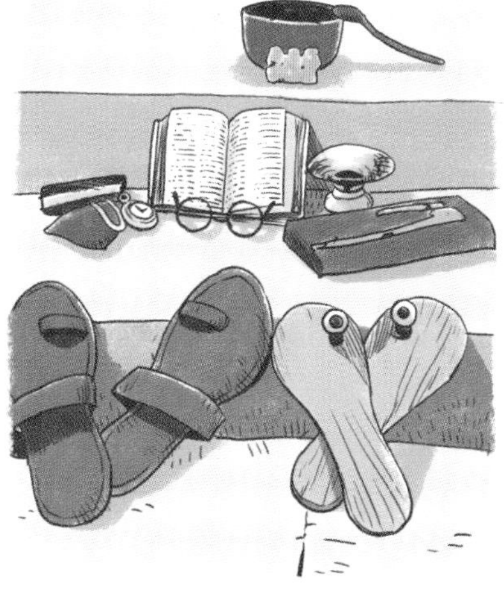

그 원숭이들은 나쁜 것은 듣지도 말고, 보지도 말고, 말하지도 말라는 뜻을 담고 있대.

제국주의

새로운 과학기술의 발달과 산업혁명은 유럽사회를 크게 변화시켰습니다. 마차로 4시간 걸리던 거리가 철도로는 1시간 45분이면 충분해졌고, 생산력도 크게 증가했지요. 생산력의 증가에 대해 어떤 경제학자는 "솜씨가 서툰 노동자는 아무리 열심히 일해도 하루에 기껏해야 바늘 한 개를 만드는 게 고작이다. 그런데 바늘공장에서는 노동자 열 명이 같은 시간에 48,000여개의 바늘을 만든다. 한 사람당 4,800개의 바늘을 만드는 셈이다."라고 설명할 정도였으니까요.

산업혁명의 영향으로 유럽의 선진 자본주의국가들은 상품의 원료를 싼 값에 얻고, 공장에서 생산한 많은 상품들을 팔 새로운 시장이 필요해졌습니다. 이 나라들은 상품의 원료와 시장을 안정적으로 확보하기 위해 힘이 약한 나라들을 식민지로 삼기 시작했습니다. 이처럼 자기 나라의 이익을 위해 다른 나라를 식민지로 만들고 정치적, 경제적으로 지배하는 정책을 '제국주의'라고 합니다.

동남아시아는 제국주의 열강에 의해 조각조각 나뉘어졌다.

아시아의 국가들 중 인도와 미얀마, 말레이 반도는 영국에, 인도네시아는 네덜란드에, 필리핀은 에스파냐에, 베트남과 캄보디아는 프랑스에 의해 식민지 국가가 되어 19세기 후반까지 타이를 제외한 동남아시아 전 지역이 식민지로 변해 버렸답니다. 아프리카는 유럽 여러 나라들이 이 지역에 다투어 진출하여 영국령, 프랑스령, 이탈리아령, 독일령, 에스파냐령, 포르투갈령, 벨기에령 등으로 분할되었습니다.

이 나라들의 제국주의 정책은 식민지가 된 나라뿐만 아니라, 제국주의 국가들 사이에서도 위협이 되었습니다. 국토를 통일한 독일은 프랑스를 고립시키기 위해 오스트리아와 이탈리아*를 끌어들여 삼국동맹을 맺고, 이에 위협을 느낀 프랑스는 영국과 러시아를 끌어들여 삼국협상을 맺었습니다. 이 두 세력은 팽팽히 대립하다 인류 역사상 최초로 세계 제1차 세계 대전이라는 엄청난 희생을 치르게 되었습니다. 그뿐 아니라 식민지가 되었던 많은 아시아, 아프리카의 나라들은 현재까지도 심각한 정치적 혼란과 경제적 어려움을 겪고 있답니다. 그래서 제국주의는 비난받아 마땅한 것으로 여겨진답니다.

서구 열강의 식민지 지배를 비꼬는 내용으로 1904년 5월 3일자 독일의 풍자 잡지 <Simplicissmus>에 실린 만평. 만평의 내용은 영국 식민지에 대한 것이다. 왼쪽부터 장사꾼이 원주민에게 강제로 럼주를 마시게 하고 군인이 동전 한 닢까지 쥐어 짜내면 마지막으로 선교사가 설교를 한다.

*이탈리아는 제1차 세계 대전이 발발하자, 동맹국 원조의무는 방어전에만 국한된다며 중립을 선언, 1915년 삼국동맹 폐기를 선언한 뒤, 협상측에 가담하여 참전했다.

제3장 열세 살 소년, 아저씨가 되다

여기서부터는 내가 직접
이야기 해 줄게.

나의 자서전이니까 아무래도 내가 직접
이야기를 풀어가는 것이 좋겠지.

나는 모한다스 카람찬드 간디라고 해!
사람들은 나를 '마하트마'나 '바푸'라고
부르지.

'마하트마'라는 호칭은 너무
거창해서 불편하고 부담스러우니까
부끄
부끄
띵

'바푸'나 '간디 선생님'이라고
부르면 좋을 것 같군.
간디
할아버지~!!

나는 13살에 결혼을 했어. 중학생일 때
이미 아저씨가 된 거지.
나랑
한살밖에
차이
안나잖아?!

솔직히 말하면 이 이야기는 하고 싶지 않았어.

그러나 '진리를 섬기는 자'가 되려는 마음을 먹은 이상 숨겨서는 안 되겠지.
아아
마이크!!

열세 살에 결혼한 이야기를 하는 것은 참 거북한 일이야.
빨리 말해라!

내가 지금 돌봐주고 있는 그 당시의 내 또래 소년을 보면 나 자신에 대해 불쌍한 생각이 드는 동시에, 나와 같은 운명을 피한 것에 대해 축하를 하고 싶어져.
짝
짝
짝

어떤 말로도 어린 나이에 결혼을 시키는 '조혼'의 풍습은 옳다고 할 수 없으니까.
여보 나 왔소!
소꿉놀이 하는 것도 아니고..

내가 살던 '카타르와르' 지방에는 '약혼'과 '결혼'의 두 가지 풍습이 있었어.
약혼
결혼

나는 모르고 있었지만 아마 약혼을 세 번은 했었던 것 같아.
네번 이던가??

나의 약혼자로 선택된 두 소녀가 차례로 죽어서 7살 때쯤 세 번째 약혼을 했고 13살이 되던 해에 그 소녀와 결혼을 했지.
신부를 사랑하나?
이제 해야죠..

신부 '카스투르바이 마칸지'는 옷감이나 곡물 등을 파는 상인 집안의 딸이었고, 우리 집에서 불과 몇 집 건너에 살고 있는 같은 또래의 소녀였지.

나는 나보다 두세 살 위인 둘째 형과 한 살 위인 사촌형과 함께 '합동결혼식'을 올렸어.

너희들에게는 여러 쌍이 함께 결혼을 하는 것이 이상하게 보일지 모르지만 인도에서는 그렇게 이상한 일은 아니야.

여러 쌍이 함께?!

힌두교를 믿는 사람들에게 결혼은 간단한 일이 아니거든. 신랑, 신부의 부모는 그 바람에 재산이 거덜나는 수가 많아.

신랑 측과 신부 측에서는 서로 상대 쪽을 누를 만한 여러 가지 다채로운 준비를 하려고 애쓰지. 그래서 우리 집안 어른들은 한꺼번에 결혼을 하면 비용을 덜 들이고도 훨씬 떠들썩하게 할 수 있다고 생각하신 거야.

사람이
머리를
써야지….

우리는 '라지코트'라는 곳에 살고 있었지만 결혼식은 고향인 포르반다르에서 하게 되었어.

라지코트에서 고향까지는 마차로 5일이 걸리는 거리였는데, 아버지는 일 때문에 결혼식 3일 전에야 출발할 수 있었어.

이랴~!!

결혼식에 맞추기 위해 속도를 내다가 마차가 뒤집히는 바람에 크게 다치셔서 온몸에 붕대를 감은 채 결혼식에 참석하셨지.

아부지!!

우리는 전통에 따라 함께 일곱 걸음을 걸어가며 결혼의 약속을 한 뒤, 서로에게 '칸사르'라는 밀가루로 만든 떡을 입에 넣어 주었지.

그리고, 아! 첫날 밤. 순진한 두 어린애가 철도 없이 인생의 바다에 몸을 던져 뛰어 들었어.

인생

정말 우리는 너무 부끄러웠어, 그녀에게 무슨 말을 어떻게 해야 할까?

어른들이 가르쳐 준 것은 아무 소용도 없었어.

두근
두근

그 당시는 결혼에 대한 책들이 많이 발행되었어. 나는 눈에 띄는 대로 열심히 읽었지.

나는 좋다고 느낀 것은 곧 실천에 옮기는 버릇이 있어.

D-day
준비운동을
철저히..

그런 책들을 통해 아내에게 한평생 믿음을 지키는 것이 남편의 도리라는 것을 배우게 되었고, 그 감동은 내 가슴 속에 깊이 새겨졌어.

신중하게..

진리를 향한 열성은 나의 타고난 성격이므로 아내에 대해 거짓을 행한다는 것은 상상조차 할 수 없었지.

당신은 정말 못생겼어..
거짓말!! 예쁜 거 다 알아!

그러나 이런 교훈이 아주 곤란한 결과를 가져오기도 했어.

'내가 아내에게 성실을 맹세해야 한다면 아내 또한 나에 대해 성실을 맹세해야 한다.' 고 생각했던 거야.

오직 당신만을..
맹세.

이 생각은 나를 질투하는 남편으로 만들어 버렸어.

열 몇 살 먹은 소년이 아내 어쩌고 하니까 징그럽다고?

하지만 별 수 없어. 나는 그때 아내를 둔 남자, 그러니까 중학생 꼬마 신랑이었으니까!

나는 아내의 행동을 엄격하게 감시했어.

안녕~

아내는 나의 허락 없이는 사원에 갈 수도, 친구를 만나러 갈 수도 없었지.

허락

그러나 나의 아내는 그런 것을 참고 있을 소녀가 아니었어. 아내는 언제 어디든지 자기가 가고 싶으면 가고야 말았어.

내가 간섭하면 할수록 아내는 점점 더 제멋대로 행동했어.
몰라! 알 수가 없어~

나는 점점 더 약이 올랐고, 우리는 서로 말도 안 하고 지내는 날이 많아졌지.
흥!

사실 나의 이런 행동들은 모두 '사랑' 때문이었어.
절대적 사랑

나는 그녀를 이상적인 아내로 만들려고 했어.
조옥

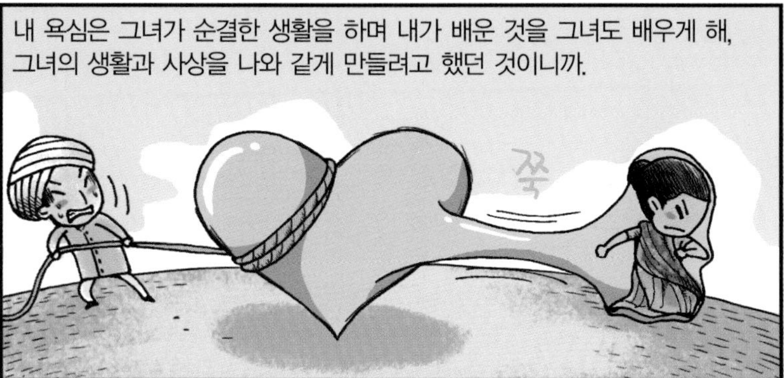
내 욕심은 그녀가 순결한 생활을 하며 내가 배운 것을 그녀도 배우게 해, 그녀의 생활과 사상을 나와 같게 만들려고 했던 것이니까.
쭈욱

나는 그녀를 열렬히 사랑했지.

학교에서도 항상 그녀를 생각했고,

어서 밤이 돼서 그녀를 만날 생각으로 가득 차 있었지. 나는 잠시라도 그녀와 떨어져 있는 것을 견딜 수가 없었어.
보고 싶어

너도 나처럼 사랑하는 사람과 항상 같이 있을 수 있으면 좋겠다고? 나의 사랑이 부럽다고?
아이고… 천만에 말씀이야.

앞에서도 말했지만 '조혼'은 정말 잔인한 풍습이야.
조혼

우리 인도가 힘이 없고 발전하지 못한 중요한 원인 중 하나가 조혼 풍습 때문이거든.

강대국
인도
강대국

어린 나이에 일찍 결혼을 하게 되면 아이들의 마음은 '야한 생각'으로 가득 차 몸에서는 힘이 빠지지.

추욱

그 결과 학교 공부에서는 뒤처지고, 육체적인 즐거움에 빠져 들게 돼.

허우적 허우적
성(性)

잘 이해가 안 된다고?

너의 주변에 결혼한 친구는 없겠지만, 야동에 빠진 친구를 본 적 있지 않니?

처음에는 호기심에 한두 번 보다가 점점 계속해서 더 많이, 더 깊게 빠져 버리잖아.

그때 나와 함께 결혼했던 형은 나보다 한 학년 위로 같은 중학교에 다니고 있었는데 둘 다 결혼 때문에 한 해를 허비했지.

1년 휴학

결혼은 형에게는 정말 나쁜 결과가 되어 버렸어. 형은 공부를 아주 그만둬 버렸거든.

학업 중단
여봉~♥

나는 다행히 할 일은 꼭 해야 한다고 생각하는 '의무에 대한 불타는 집념'이 있었고,

내가 한 집념 하쥐~

아침마다 주어진 일들을 마쳐야 하며,

아침 일어나면 조깅부터..

남에게 거짓말 하는 것은 상상도 못하는 성격이어서 이 함정에서 간신히 벗어날 수 있었지.

겨우 빠져나왔네..
헉헉

나는 '성적인 욕망' 때문에 생긴 두 가지 부끄러운 기억을 가지고 있어.
뽕
이 짐승!
하나는 아내와 관련된 것이고, 또 하나는 나의 아버지와 관련된 것이야.

나의 아내 카스투르바이는 다른 많은 인도 여자들처럼 글을 몰랐어.
글을 가르쳐 줘야지..

나는 아내에게 글을 가르쳐 주고 싶었지만 '성적인 욕망'에 빠져 글을 가르칠 시간이 없었어.
일단 이거 먼저..

우리는 어른들 앞에서는 감히 만날 수 없고 밤에만 간신히 만날 수 있었는데
빨리 자!

그녀도 글을 배우려는 생각이 없는 데다가
나 잡아봐라~

밤만 되면 나는 육체적인 사랑 외에 다른 건 할 수가 없었거든.
내일 하지. 뭐.. 자거야~ ~

세월이 흐른 후 내가 성적인 욕망에서 어느 정도 벗어났을 때, 나는 이미 여러 가지 사회적 활동들로 너무 바빠서 그녀에게 글을 가르칠 시간을 낼 수 없었어.
꼭 시간내서 가르쳐줄게..

그 결과 카스투르바이는 지금도 간단한 편지를 겨우 쓰고

쉬운 구자라트어*를 겨우 이해할 뿐이야.
내가 만약 성적인 욕망에 빠져 있지 않았다면

그녀는 학식 있는 숙녀가 되어 있을 텐데….
다 내 잘못이야!!

***구자라트어** – 인도는 다양한 언어를 사용하는데, 구자라트어는 간디가 태어난 지방에서 사용되는 말.

내가 열여섯 살 때, 아버지는 치질로 자리에서 꼼짝도 못하셨어.

어머니와 우리 집의 늙은 하인 그리고 내가 주로 곁에서 돌보아 드렸지.

나는 아버지의 상처를 싸매고 약을 갖다드리고, 밤마다 다리를 주물러 드렸어.

아버지가 가라고 하거나 잠이 든 뒤에야 물러 나왔어.

물론 즐거운 마음으로 그 일을 했고, 한 번도 소홀히 생각한 적은 없었어.
시원하시죠?

그때 아내는 임신 중으로 출산이 얼마 남지 않은 때여서
오! 움직인다! 움직여!!

손은 아버지의 다리를 주무르는 동안에도 내 마음은 아내의 침실 곁을 맴돌고 있었지.

나는 항상 그 일을 어서 마치고 나오고 싶었고,
주무시나?

아버지에게 인사를 드리자마자 곧장 아내의 침실로 달려가곤 했지.
훌렁

아버지의 병이 갈수록 악화되던 즈음 삼촌이 아버지가 점점 위독해진다는 소식을 듣고 집에 오셨어.

밤 10시 30분에서 11시쯤 나는 안마를 하고 있었어.
그만 가 보거라!

나는 얼씨구나 하고 곧장 침실로 가서 아내와 사랑을 나눴지.
보고 싶었져 허니~~

그러나 5, 6분도 지나지 않아서 하인이 문을 두드렸어.
아버님께서 운명하셨습니다.

나는 부끄러워 견딜 수가 없었어. 앞이 캄캄했지.

나는 아버지 방으로 달려갔어.
아버지~!!

만일 동물적인 욕망이 내 눈을 어둡게 하지만 않았던들 아버지의 임종(돌아가시는 순간)을 지키지 못하는 형벌을 면할 수 있었을 텐데….

조금만 더 참고 내가 안마를 해 드렸더라면

아버지는 내 팔에 안겨 돌아가실 수 있었을 거야.
안돼...

게다가 그때 태어난 우리 아이는 3, 4일도 못 살고 죽었어.

내가 '성적인 욕망'에서 벗어나기까지는 많은 시간이 걸렸어.
욕망

내가 어떻게 성적인 욕망에서 벗어나게 되었는지를 말하려고 하는 지금 이 순간, 여러 가지 생각이 드는군.
원래 나의 《자서전》에서는 이 이야기를 솔직히 썼지만, 이 만화를 읽고 있는 네가 너무 어려서 나의 말을 어떻게 받아들일지 걱정이 되기 때문이야.

하지만, 용기를 내 보지.

내가 듣기에 요즘 너희 나라 대한민국은 '성(性)' 과 관련되어 여러 가지 사건들이 벌어진다고 하더군.

초등학생 어린이가 성폭행을 당해 살해되기도 하고, 아파트 엘리베이터를 타려던 어린이를 끌고 가 성폭행하려던 어른이 잡히기도 했다는 신문기사를 보고 마음이 너무 아팠어.

성폭행용의자검거

대한민국은 컴퓨터 분야가 엄청나게 발달해서 정보통신기술(IT) 분야에서 세계 10위 안에 드는 실력을 갖고 있지만,

대한 민국
IT
강국

인터넷에는 이상야릇한 사진이나 동영상이 넘쳐나서 어린이들이 그런 것을 보기도 한다는 말을 듣고 나의 이야기를 들려주는 것이 좋을 것 같다는 생각이 들었어.

다 모자이크 처리 되어 있잖아~!!
내 얘기를 좀 들어봐.

나는 결혼 이후부터 일부일처*를 죽 지켜왔어.

멍~

요즘 말로 바람을 피운 적이 없다는 뜻이야. 아내에 대한 성실은 내가 사랑하는 진리의 한 부분이었기 때문이지.

지금 뭐 봤어?
난 오직 진리만 사랑해.

나는 1906년 37살이 되던 해에 '브라마차리아' 를 맹세했어.

브라마차리아

＊일부일처(一夫一妻) – 한 남편에게 한 아내라는 뜻.

'브라마차리아' 는 욕망을 참는 '금욕' 을 의미하는데 쉽게 말하면 '성관계' 를 하지 않는 것이야.

부 인
출입금지

보통 많은 종교에서는 성직자들에게 '금욕' 은 꼭 지켜야 하는 계율이지. 천주교의 신부님이나 불교의 스님들이 결혼을 하지 않는 것은 바로 '금욕' 을 실천하게 하기 위한 것이야.

금욕을 사랑하는 모임

나는 브라마차리아를 맹세하는 것에 대해 아내와 의논했어.
어떻게 생각해?

아내는 반대하지 않았지.
대찬성!

그러나 최종 결정을 할 때에는 정말 힘이 들었어. 맹세를 지킬 수 있을지 자신이 없었거든.
그렇지만 나는 하느님이 붙잡아 주실 거라 믿고 걸음을 내딛었어.

그로부터 20년, 지난 날을 돌이켜볼 때 내 마음이 기쁨과 놀라움으로 가득 차는 것을 느낄 수 있어.
기쁨
놀라움

나는 매일 같이 맹세를 지켜감에 따라 브라마차리아 안에 몸과 마음과 정신을 보호해주는 무언가가 들어 있다는 것을 점점 더 분명히 알게 되었어.

왜냐하면 브라마차리아는 이제는 힘든 일이 아니고, 하나의 위로요, 즐거움이기 때문이지.
아! 상쾌해~♪

그러나 갈수록 자라가는 즐거움이라 해서 브라마차리아가 쉬웠던 건 아냐.
브라마 차리아

쉰여섯을 넘긴 오늘에도 여전히 힘들거든.

날이면 날마다, 가면 갈수록 칼날 위를 걷는 일임을 깨닫고 순간마다 조심하지 않으면 안 되지.

게임, 인터넷, 휴대전화에 빠져 있는 친구라면, 그것들의 유혹에서 벗어나는 것이 얼마나 힘든지 이해할 거야.

나는 이 맹세를 지키기 위해서
여러 가지 노력을 했지.
먼저 준비운동!
헛! 둘!
헛! 둘!

첫 번째 중요하게 생각한 것은
미각(=맛을 느끼는 감각)을
조절하는 것이었어.
앗! 너무 짜~!

나는 고기를 먹지 않는 채식주의자인데,
음식과 관련된 많은 실험을 했어.
그 이야기는 나중에 다시 자세히 할게.

내가 음식을 실험한 것은 채식주의자이기
때문만이 아니라 브라마차리아의 맹세를
지켜가는 사람으로서의 노력이기도 해.
생체 실험

실험을 통해서 나는 브라마차리아를 지키는 사람의 음식은
적고 간단하며, 양념을 넣지 않고 될 수 있으면 익히지 않고
날로 먹어야 한다는 것을 알았어.

여섯 해 동안의 실험 결과 브라마차리아를
지키는 데 좋은 음식은 신선한 과일과
굳은 껍질의 열매라는 것도 알게 되었지.

남아프리카에서 과일과 굳은 껍질의
열매만을 먹고 살 때는
브라마차리아를 위해 특별한 노력을
하지 않아도 되었어.
아~ 개운해!

그러나 우유를 마시게 된
다음부터는 많은 노력을
해야 했어.
참아야.. 윽!

나는 오랫동안 우유를
마시지 않았어.
흥!

소나 물소에게 마지막 한 방울의 우유까지
짜내려고 하는 모습을 보고 우유를 마실
생각이 아주 없어졌지.
음메~

그러나 몇 년 전에 몸이 너무 약해져
우유를 마시지 않으면 회복할 수
없다고 의사들이 우유를 권했지.
꼭 삼켜요..
꾸욱~

나는 나의 맹세를 들어 거절했지만,

난 절대
우유를 먹지않아

당신이 맹세한 것은 소와 물소의 젖을 먹지 않겠다는 것이니 산양유는 괜찮지 않나요?
어?
그런가?

엄격하게 말하면 맹세에 어긋나는 것이지만,

맹세는 그런 뜻이 아니잖아!

그때는 내 몸이 너무 약해져 있었고,

아이고
어지러워!

중요한 일을 해야 하기 때문에 어쩔 수 없이 받아들였던 거야.

여기서
죽을 수
없지…

또, 브라마차리아를 위해서는 일정한 기간을 정해서 음식을 먹지 않는 '단식'이 필요해.

요번 주는
단식이군..
달력

인간의 감각은 너무도 강한 것이기 때문에

감각

그것을 통제하려면 사방에서 완전히 포위하지 않으면 안 돼.

하.. 항복.

음식을 먹지 않으면 힘을 못 쓰는 건

오~
배고파~

누구나 다 아는 상식이기 때문에 단식은 의심 없이 매우 좋은 방법이라고 할 수 있지.

그러나 어떤 사람들에게는 단식이 아무 소용도 없어.

브라마
차리아
브라마
차리아

왜냐하면 몸으로는 단식을 하면서

꼬르륵

마음으로는 갖가지 맛있는 것으로 잔치를 벌이고 처음부터 끝까지 단식이 끝나기만 하면 이것도 먹고 저것도 마시겠다는 생각을 하거든.
다 먹어야지…

단식이 효과가 있으려면 굶고 있는 몸에 마음이 같이 도움을 주어야 해.
크로스!!
몸
마음

마음을 바꾸지 않으면 단식은 약간의 효과만 있을 뿐이지.
엥?
변신이…

예를 들어 며칠씩 단식을 해서 살을 뺀 사람들이 단식이 끝난 다음 다시 살이 더 찌는 '요요 현상'에 시달리는 것과 같은 이치지.

그런데 간디 선생님은 너무 많은 것을 참으라고 하시는 것 같아요.

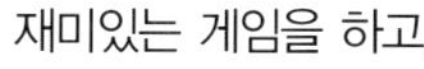
재미있는 게임을 하고,

앗싸!

맛있는 음식을 먹고,

좋아하는 사람과 뽀뽀하고 싶은 것이 뭐가 나쁜가요?

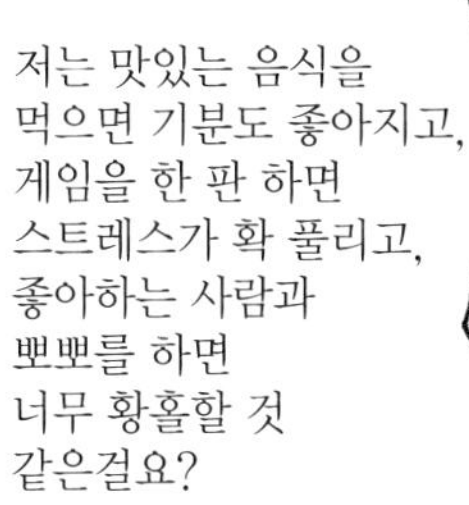
저는 맛있는 음식을 먹으면 기분도 좋아지고, 게임을 한 판 하면 스트레스가 확 풀리고, 좋아하는 사람과 뽀뽀를 하면 너무 황홀할 것 같은걸요?

펑

그렇게 생각할 수도 있지. 그러나 자신의 욕망을 조절할 줄 아는 사람과 그렇지 않은 사람 사이에는 분명한 차이가 있어.

겉으로 보기에는 서로 비슷한 듯 보이지만
그 차이는 아주 분명하지.
넌
누구냐?

둘 다 눈을 사용하지만 자신의 욕망을 조절할 줄 아는 사람은
진리를 보기 위해 애쓰고,

그렇지 않은 사람은
주위에 있는 쓸데없는
것들을 보기 위해 사용하지.
여자
탈의실

둘 다 귀를 쓰지만 하나는 진리의
말씀을 듣고, 다른 하나는 더러운
소리만 듣고 있지.
내가 곧
진리이니라!
오~
뭐라는
거야??

둘 다 늦도록 깨어 있지만, 하나는
그 시간을 기도하는 데 바치고, 다른 하나는
사납고 거친 쾌락에 낭비하고 있지.

둘은 서로 대립하는 두 극과 같아서 세월이 갈수록 거리가
더 멀어지게 돼.
안녕~!
세 월

그 말씀을 들으니, 신문에서 본
'마시멜로 실험'이 생각났어요.
놀라운 실험결과-'마시멜로'

네 살짜리 꼬마들에게 아이들이 좋아하는
마시멜로라는 과자를 주며 이렇게 제안을
했대요.

내가 잠깐 나갔다 올 동안 기다리면
마시멜로를 두 개 먹을 수 있어.
그런데 기다리지 않고 먼저 먹으면
그냥 먹은 것으로 끝이야.

꼬마들의 1/3은 참지 못하고 마시멜로를 먹고,
나머지 2/3는 끝까지 참았대요.

그런데 더 놀라운 것은 14년 뒤에,
이 아이들을 다시 조사했더니

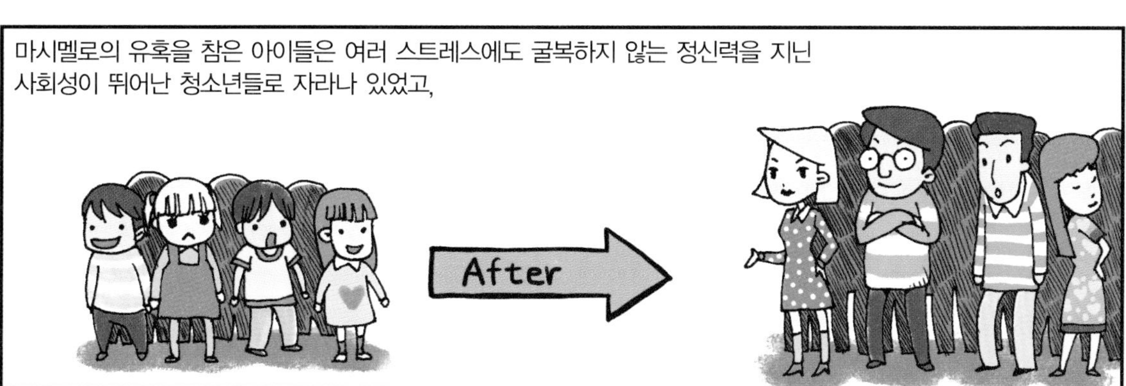
마시멜로의 유혹을 참은 아이들은 여러 스트레스에도 굴복하지 않는 정신력을 지닌
사회성이 뛰어난 청소년들로 자라나 있었고,
After

참지 못한 아이들은 쉽게 짜증을 내고 사소한 일로
싸움에 말려드는 경우가 많았대요.
난 하나 먹었는데 넌 왜 2개 먹어?!
먹는 게 임자지!

또 성적도 차이가 많이 나서 참았던 아이들은 먼저 먹은
아이들보다 높은 점수를 받았대요.

60점 이하
90점 이상

바푸가 저희한테
하고 싶은 말씀이
마시멜로 이야기랑
비슷한 것이지요?

자신의 욕망을
다스리려면 많은
노력이 필요한데,

그것을 통해 욕망을 조절할 줄 알게 되면
바푸처럼 훌륭한 사람이 될 수 있다는 말씀!

인도의 계급제도 - 카스트

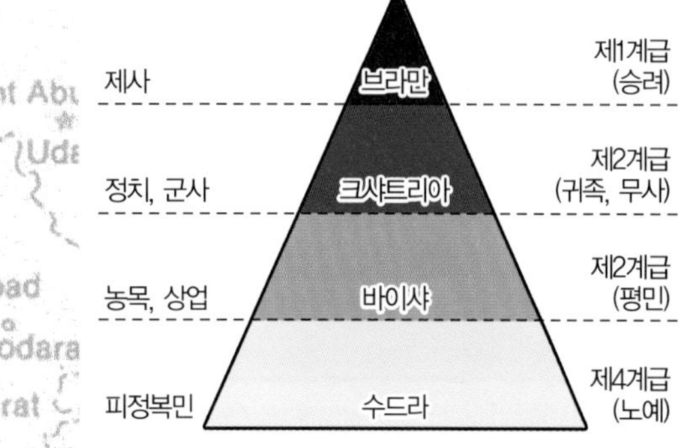

제사
브라만
제1계급 (승려)
정치, 군사
크샤트리아
제2계급 (귀족, 무사)
농목, 상업
바이샤
제2계급 (평민)
피정복민
수드라
제4계급 (노예)

인도는 한반도 전체 면적의 15배가 되는 세계에서 일곱 번째로 큰 나라이고, 2007년 기준 11억 7,000만 명의 사람이 살고 있는, 세계에서 두 번째로 인구가 많은 나라입니다. 어떤 사람들은 인도가 2030년 말쯤이면 미국을 능가하는 나라가 될 것이라고 말하기도 합니다. 인도는 넓은 땅과 많은 사람, 긴 역사 속의 풍부한 문화적 유산을 가진 나라임에도 불구하고, 여전히 세계에서 가장 가난한 나라 중에 하나인 이유는 무엇일까요? 여러 가지 이유 중 많은 사람들이 빼놓지 않고 지적하는 것은 불평등한 카스트제도랍니다.

카스트(Caste)는 15세기 이후 무역을 위해 인도에 온 포르투갈 사람들이 인도인들의 사회와 가족 집단을 카스타(Casta)라고 부르기 시작하면서 유래했다고 합니다. 카스타는 족속, 혈통, 종족 등을 뜻하는 포르투갈 말이지요. 인도어에서 카스트에 해당하는 말은 '자티' 인데 '태어날 때부터 적용되는 사회적 계급이나 직업' 또는 '출생' 을 뜻하며 보통 직업적인 분류를 말합니다.

전통적인 법률책에서, 카스트는 4개의 바르나(색깔Varna)로 구분되는데, 제일 높은 계급은 브라만(승려), 그 다음으로 크샤트리아(귀족 또는 무사), 바이샤(평민 또는 상인)이며 최하층은 수드라(수공업자 또는 노동자)입니다.

'바르나'와 '자티'의 관계를 알아야 카스트 제도를 제대로 이해할 수 있습니다. 예를 들어 같은 브라만이라도 제사를 지내는 승려일 수도 있고, 학생을 가르치는 교육자일 수도 있으며, 반대로 같은 직업을 가졌어도 바르나는 다를 수 있답니다. 그래서 인도에는 수천 개의 카스트가 존재하는 것이지요.

그 외에 카스트에 속하지 않은 '불가촉천민'이 있습니다. 불가촉천민은 말 그대로 접촉만 해도 더러워지기 때문에 만져서도 안 되는 사람들이지요. 간디는 그들을 하리잔(신의 아이들)이라 부르며 차별에 반대했답니다. 인도 정부는 1950년대 불가촉천민에 대한 특별법을 만들어서 그들에 대한 차별을 금지하고, 대학 입학이나 공무원 취업 등에 일정한 비율을 합격시키도록 정해두고 있습니다. 이런 정책으로 1997년 7월에는 불가촉천민 출신인 '나라야난'이 인도 대통령으로 취임하기도 했습니다. 한때 인도 델리의 의과대학생들은 불가촉천민에 대한 쿼터를 늘리는 것은 다른 사람들의 기회를 제한하는 또 다른 역차별이라고 주장하며 시위를 하기도 했지만, 여전히 학교에 갈 수 없고, 상위 카스트들과 밥을 먹을 수도 없고, 아침에 눈을 떠서 잠자리에 들 때까지 빨래만 하고 살아야 하는 사람들(도비라: 불가촉천민의 한 계층)이 존재한다고 합니다. 놀랍게도 현재도 이런 불가촉천민들이 인도 전체 인구의 20%가 넘는 약 2억 명 정도 된다고 합니다.

세계 최대의 민주주의 국가 인도에서는 지금도 낮은 카스트가 깨끗이 씻은 손으로 건네주는 빵은 안 먹어도 브라만이 화장실에 다녀와서 건네주는 빵은 먹는답니다. 인도사람들은 그 사람의 이름만 들어도 어떤 카스트인지 알 수 있으니까요. 그래서 많은 사람들이 인도의 발전을 가로막는 문제로 카스트제도를 들고 있답니다.

제4장 중·고등학생 시절 - 방황의 시간

나는 라지코트에 있는 앨프레드 중 · 고등학교를 다녔어.

앞에서 얘기한 것처럼 나는 이때 결혼을 하는 바람에 한 학년이 늦어졌지.

학년
유급

나는 공부를 아주 잘 하지는 않았지만, 선생님들의 귀여움을 받았어. 요즘 말로 '범생이' 였거든.

성적
C

덕분에 나는 1년을 건너뛰는 특혜를 받을 수 있어서 3학년을 6개월만 다니고 4학년으로 올라갈 수 있었어.

6개월
단기속성
3학년
4학년

이 학교에서는 1학년 때부터 영어를 가르쳤고, 높은 학년으로 올라가면 산수, 기하, 대수, 화학, 천문학, 역사, 지리 등의 과목을 영어로 가르쳤어.

Hi

YO!

영국의 식민지였으니 영어를 배우는 것은 당연한 거지.

영어를 하는 사람이 주변에 많은 데다,

What's up?
Hi

나랏일도 영어로 돼 있었지만 영어로 수업하는 것은 많은 학생들에게 엄청난 스트레스를 줘서 노력에 비해 효과는 별로 없었어.

너희 나라에도 국제화다 해서 이런 것을 주장하는 사람들이 있는 모양인데,

글로벌 시대의 주역
미국 사람들은….

내 생각에는 자기 나라 말을 먼저 잘 배워 기초를 쌓은 후에 남의 나라 말을 배우는 것이 좋을 것 같아.

혀 굴리지마!!

국제화 시대에 필요하다고 온 국민이 영어에만 너무 집중하면 올바른 정신을 가지지 못하게 되지.

유 크레이지 하구나…?

이런 걸 한국에서는 '빈대 잡으려다 초가삼간 태운다.' 고 한다지?

당시 인도에서는 수학을 산수, 기하, 대수 등으로 나누어 배웠어.

수학
산수
기하
대수

더하기, 빼기, 곱하기, 나누기나 무리수, 유리수 등은 산수 시간에, 방정식 같은 것은 대수 시간에,

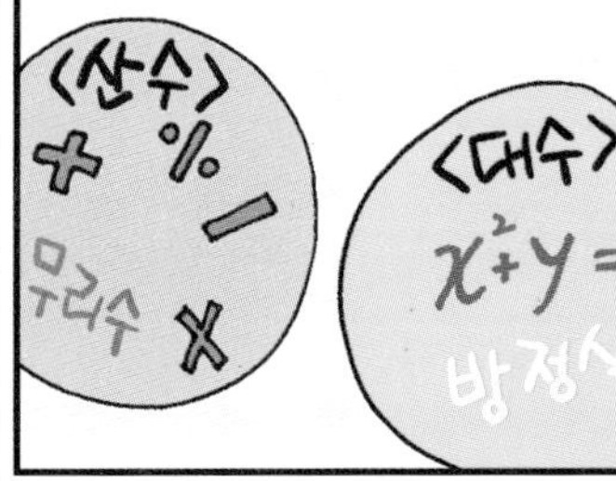

<산수>
+ % −
무리수 ×
<대수>
$x^2+y=?$
방정식

평면도형, 입체도형, 삼각형의 성질, 사각형의 성질 등은 기하학 시간에 배우지.

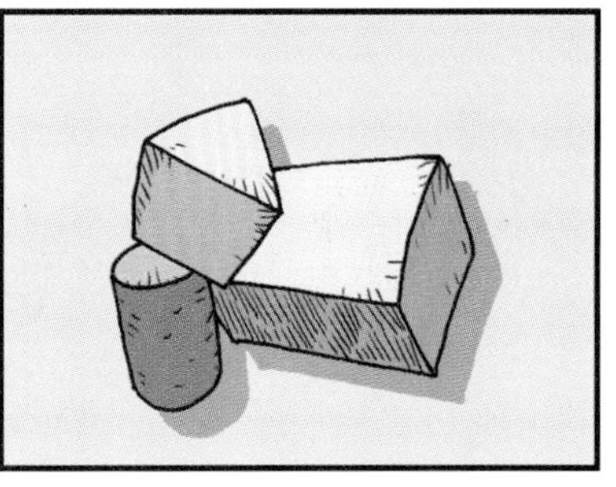

나는 기하학에 특별한 실력이 없는 데다 영어로 수업을 하니 더욱 어려웠어.

다시 3학년으로 내려가야 하나?

그렇게 하면 나도 망신일 뿐만 아니라 나에게 특혜를 주신 선생님께도 얼마나 난처한 일이겠어?

교장

그런데 노력해서 유클리드의 13번 정리에 들어가니 갑자기 기하학이 쉬운 과목이라는 것을 알게 된 거야.

유클리드 13번
그 뒤로는 기하학은 쉽고 재미있어 졌어.

그러나 산스크리트어는
정말 어려운 과목이었어.

산스크리트어는 고대 인도에서
쓰던 언어인데,
뿌우우~

불교나 힌두교의 경전, 고대 인도의 문학이
산스크리트어로 기록되어 있기 때문에
경전

인도 사람은 꼭 공부해야 하는
언어지.
산스크리트어

한국 사람들이 한자를 알지 못하면
공부를 제대로 할 수 없는 것과
같은 이치야.
무슨 말이야 도대체?!
이순신의 性品은
品性이 바르고
곧고 氣魄이
남달라 格이
틀렸다.

나는 산스크리트어의 모든 것을
암기하려 했어.
산스크리트어
전송중

이 공부는 4학년부터 배우는데
6학년에 올라가자마자 크게
고민이 되었어.
산스크리
트어냐?
페르시아어냐?
그것이
문제로다!

우리 학교는 필수 과목이 아닌 것을 선택할 수 있었기 때문에 산스크리트어
선생님과 페르시아어 선생님 사이에 일종의 경쟁이 있었어.
인도인이라면
기본이 되어
있어야지.
흥!
페르시아어가
대세거든….

페르시아어는 이슬람을 믿는
사람들에게는 세계적으로 사용되는
언어여서 보다 쉽게 배울 수 있었지.

오! 신이시여~

또 아이들 사이에서는 페르시아어 선생님이
다정하고, 아이들에게 잘해주시는 분이라고
소문이 나 있었어.

그래서 나는 산스크리트어를
포기하고 페르시아어 수업에
들어가 버렸지.

그러자 산스크리트어 선생님은
매우 섭섭해 하면서

나를 부르시더니
네가 힌두교도라는 것을 어떻게 버릴 수 있느냐?

너는 네 종교의 말을 안 배우려고 하느냐? 어째서 어려운 것이 있으면 나에게 물으러 오지 않는 것이냐?

나는 너희들에게 내 있는 힘을 다해 가르치려 한다.

너라면 그 속에서 미칠 만큼 재미있는 것을 알게 될 것이다. 실망해서는 안 된다.

다시 산스크리트어 반에 들어 오거라.

나는 선생님의 친절에 부끄러워졌고,
그 사랑을 저버릴 수가 없었지.

나는 지금도 그 선생님께 감사해. 왜냐하면 그때에 내가 조금이나마
산스크리트어를 배우지 않았다면 나는 도저히 내 종교의 책에 흥미를
가질 수 없었기 때문이지.
힌두교

나는 정말 산스크리트어를
좀 더 깊고 완전하게 배우지
못한 것이 후회스러워.
산스크리트어

또 나는 이 시절 아직 어려서 글씨를
잘 쓰는 것이 꼭 필요하다는 생각을 하지
않았어.
알아보기만 하면 되지. 뭐….

글씨를 또박또박 쓰기가 귀찮아서
게으름을 피웠지.
난 벌써 다 썼지롱~

나중에 남아프리카에서 교육을 받은 변호사와 젊은이들이 쓴 글씨를 보고 부끄러운 생각이 들더군.
이게 무슨 글씨지?

그제야 나쁜 글씨가 교육을 제대로 받지 못한 표시라는 것을 깨달은 거지.
이제와서 잘쓰려고 하니 힘드네..

나는 나쁜 글씨를 끝내 고치지 못했어.
가문의 수치
나 돌아갈래!

모든 젊은이들은 나를 보고 글씨를 바로 쓰는 것이 교육의 필요한 부분이라는 것을 알게 되기를 바라.
My name is
마하트마 간디..

나는 수줍음이 많은 학생이었기 때문에 친구가 많지 않았지.
간디~~!!

중 · 고등학교 시절 몇 안 되는 친구 중에
하하 안녕?

가까이 지냈다고 할 수 있는 친구는 두 명 정도였어.

한 친구는 내가 다른 사람과 친구가 되었다고 나를 버렸어.

두 번째 친구는 이슬람교를 믿는 '세이크 메타브'라는 소년으로 그를 만난 것은 내 인생의 비극이지.
내가 왜? 무엇 때문에!

이 친구는 원래 둘째 형의 친구였는데, 우린 꽤 오랫동안 친하게 지냈어.
흥! 날 버리다니…
킥킥.

내가 이 친구와 가깝게 지내자 어머니와 아내 그리고 큰 형까지 그 친구와 사귀지 말라고 말씀하셨지.
미쳤어?

저도 어머니와 형님이
말씀하시는 그의 나쁜 점을
알고 있습니다.

그러나 어머니나 형님은
그의 좋은 점을
모르십니다.

제가 그와 사귀는 것은
그를 고쳐주기 위한 것으로,
그 친구 때문에 제가
잘못되지는 않을 겁니다.

자신의 생활을
고치기만 한다면

그도 훌륭한 사람이 될 수 있을
거라고 확신하니, 너무 걱정하지
마시기 바랍니다.
왠지 설득력이
있는데요?

나의 설명으로 식구들이
안심한 건 아니었지만 그 후에는
내가 하는 대로 내버려 두셨어.
일단
둬보자고…

처음 이 친구를 만났을 때
내가 살던 라지코트에는
'개혁'의 바람이 불고 있었어.

개혁
개혁
개혁

우리는 고기를
먹지 않기 때문에
약한 민족이 됐어.

영국이 우리를
지배할 수 있는 것은
고기를 먹기 때문이야.

너도 알다시피
내가 얼마나
튼튼하냐?
또 얼마나
잘 뛰냐?

그것은 내가 고기를
먹기 때문이지.
울룩
불룩

고기를 먹는 사람은
부스럼이나 종기가
나는 법이 없고
뽀송
뽀송한
피부

혹시 난다 해도 바로
나아 버린다고.

우리 선생님들이나 유명한
사람들 중에 남몰래 고기를 먹고
술을 먹는 사람도 많아.
진짜?!

그분들이
바보가 아니잖아?
그분들은
고기의 효과를
알고 있는 거지.

너도 그렇게 해야 돼.
실제로 해보는 것보다
더 좋은 것은 없다고.
탁

그리고 얼마나 힘이
나는가를 보라고!
불룩

둘째 형은 이미 이 친구의 주장에
빠져 있었어.
근력을
키워야
돼!

그들은 둘 다 몸이 튼튼하고,
힘세고 훨씬 용감했거든.
으라차차!!

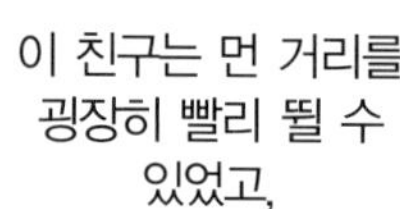
이 친구는 먼 거리를
굉장히 빨리 뛸 수
있었고,

다..다리가
안 보여..

높이뛰기, 넓이뛰기
선수였으며,

어떤 벌을 받아도
끄떡없이 견뎌냈지.
어..
엉덩이가..

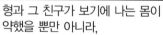

형과 그 친구가 보기에 나는 몸이
약했을 뿐만 아니라,
완전 초등학생
몸이네..

겁도 많았지.

나는 늘 도둑이나 유령, 뱀을 무서워했어.
뜨아~

밤에는 무서워서 문 밖에도 나가지 못했고,
불 꺼요.
잘 자게….

어두운 데서는 잘 수도 없었거든.
불끄지마!
불끄지마!

그런데 나는 이미 결혼한 남자인데 곁에 자고 있는 아내에게 어떻게 무섭다는 소리를 할 수 있겠어?
채, 책 좀
볼려구….

나는 그가 너무 부러웠고
도둑아! 거기서!!
왕 부럽다….

그렇게 되고 싶다는 생각이 강했어.
넌 할 수 있어!

나라고 그와 같이 못 하라는 법이 어디 있어?
꽉

고기를 먹으면 나도 튼튼하고 용감하게 될 수 있고,
와구!
와구!

온 국민이 고기를 먹는다면 저 영국인들을 이길 수 있을 것이라는 생각이 들기 시작했어.
인도
아챠웃!

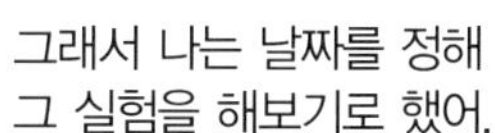
그래서 나는 날짜를 정해 그 실험을 해보기로 했어.

4
3
고기
먹는날
10

우리 집안이나 동네 사람들은 육식을 반대하고 싫어했기 때문에 우리는 아무도 모르게 해야 했어.
쉿!
보안
철저

만약에 내가 고기를 먹은 것을 안다면 우리 부모님은 기절해버릴 것이 분명하니까 말이야.
킁킁…
어디서 고기냄새가
나는데….

마침내 그날, 우리는 조용한 곳을 찾아 냇가로 갔지.

나는 처음으로 고기를 맛보았어.
앗!뜨거~

빵집에서 구운 빵도 있었지만 내게는 어느 것도 맛이 없었어. 도무지 먹을 수가 없었어.

윽! 뭐가 이렇게 질겨?!
퉤!

그러고 나서 밤새 무서운 가위에 짓눌리고,

잠이 들락말락하면 살아 있는 염소가 뱃속에서 매~매~ 하고 우는 것 같아 견딜 수가 없었지.

나는 고기를 먹는 것은 나의 의무라고 생각하며 마음을 안정시켰지.
영국을 이기려면 어쩔 수 없지….

내 친구는 거기에서 그만 둘 사람이 아니었어.
다음 작전 개시

그는 이제 고기를 가지고 별별 음식을 맛있게 요리하기 시작했지.
킁킁..

장소도 냇가의 외진 곳이 아니고, 식당이었는데, 친구는 그 곳 요리사에게 부탁해서 요리도 미리 준비해 두었어.

그것은 효과가 있어서 나는 염소에 대한 불쌍한 생각도 잊어버리고, 고기 요리의 맛을 알게 되었어.

그것은 한 1년 동안 계속되었어.
모임명
염소고기를 사랑하는 모임

그렇다고 일년 내내 고기요리를 먹은 것은 아니야.

비싼 고기 요리는 자주 준비하기도 어려운 일이어서 고기 잔치는 모두 대여섯 번 정도였어.
아! 배불러~

이 비밀잔치를 한 날이면 집에서 저녁을 먹을 수 없었어.
왜 밥을 안 먹느냐?
소화가 안 되는 거 같아요.

나는 양심의 가책이 느껴졌어.
만약 부모님이 아신다면?

부모님이 큰 충격을 받을 것이라는 것을 알고 있었고, 그런 생각으로 가슴이 미어터지는 것 같았어.
그래서 결심했어.

고기를 먹는 것은 필요하고, 모든 인도인이 음식 개혁을 일으키는 것도 필요하지만, 자기 부모를 속이는 것은 고기를 안 먹는 것보다 더 나쁜 일이다.

나는 부모님이 살아계시는 동안 육식은 절대 안 할 것이다. 그들이 안 계시게 되어 내 마음대로 할 수 있을 때가 되면 나는 내놓고 고기를 먹을 것이다. 그러나 그 때가 올 때까지 고기를 먹지 않겠다.

나는 친구에게 내 결심을 말한 뒤 다시는 고기를 먹지 않았지만, 그 친구와는 계속해서 가깝게 지냈어.
고기가 우릴 갈라 놓질 못해~!

나는 이런 일을 겪고도 그 친구와 사귀는 것이 나쁘다는 것을 깨닫지 못했어.
친구야 어딨어?

어느 날 아저씨 한 분이 담배를 피우는 걸 보고는 우리도 해 보고 싶어졌어.
뻐끔 뻐끔

그러나 우리는 돈이 없어서 버린 꽁초를 주워 모았어.

하지만 꽁초는 늘 얻을 수도 없었고, 연기가 많이 뿜어지지도 않아서,
콜록
콜록

담배를 사기 위해 하인의 주머니에서 동전을 훔쳐내기 시작했어.

우리는 훔친 돈을 가지고 몇 주일은 그럭저럭 담배를 피웠어.

또 한번은 어떤 식물의 줄기가 구멍이 많아 담배처럼 피울 수 있다는 것을 듣고 그것을 구해 피워보기도 했어.

그러나 그런 것으로는 만족이 되지 않았어.
이게 아냐!

우리는 어른들의 허락 없이는 아무것도 할 수 없는 우리의 처지가 너무나 원통해서 도무지 견딜 수 없었지.
청소년 통제

마침내 우리는 자살하기로 결심했어.
까 악

어떤 열매의 씨가 독이 강하다는 말을 듣고 정글 속을 찾아다니면서 그것을 구했지.

우리는 먼저 신전에 가서 예배를 드리고 조용한 구석을 찾았지.

그런데 용기가 나지 않는 거야.
이걸 먹어야 하나?

바로 죽지 않으면
어떻게 하지?

또 죽어서 좋을 것이
뭐지?

차라리 참는 것이
낫지 않을까?
꼬덕
꼬덕

그러면서도 두서너 알을 삼켰는데
더 삼킬 용기가 나지 않았어.
어우
써~

결국 둘 다 죽기가 싫어져서 마음을
고쳐먹고 자살할 생각을 씻어버렸지.
자살

이 자살 시도 덕분에 흡연과
도둑질 습관을 끝낼 수 있었어.

지금도 담배를 피우고 싶은 생각은
없어. 오히려 흡연은 야만적이고
더럽고 해로운 것으로 생각해.
야만인!

이보다 더 심한 도둑질은 좀 더
후에 저지른 것이었어.
바늘
도둑이
소도둑
된다는
얘기죠.

내가 하인의 동전을 훔친 것은 열두세 살
아니면 그보다 어릴 때의 일이었는데, 그 다음
도둑질은 열다섯 살에 저지른 것이었어.
다 커서
도둑질
이냐?!
콩

나는 고기 잔치에 참석한
결과 25루피의 빚을 지게
되었어.

빚을 갚기 위해 도둑질을 하게 됐고
나는 도저히 견딜 수가 없었지.

나는 다시는 도둑질을 하지 않기로
결심하고 아버지에게 고백하기로
했어.

그러나 차마 말을 할 수가
없었어.

때릴까봐 무서워서가 아니라 아버지가 당할 고통이 두려워서였어.
쾅
쾅
아부지~!!

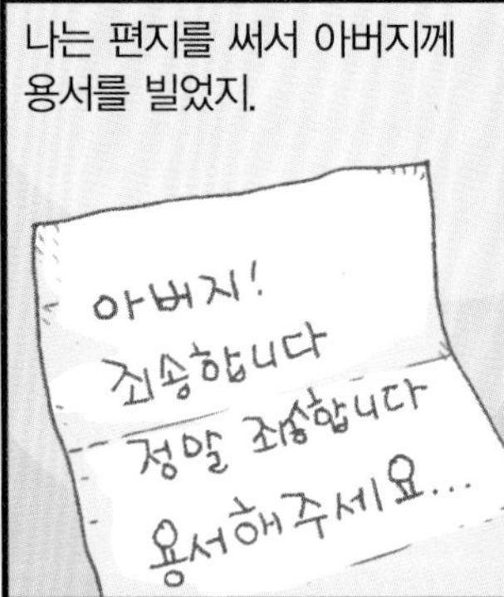
나는 편지를 써서 아버지께 용서를 빌었지.
아버지!
죄송합니다
정말 죄송합니다
용서해주세요…

아버지는 그때 치질 때문에 고생하고 있어서 침대를 떠나지 못하셨어.
무슨 일이냐?

나는 아버지에게 편지를 드리고 맞은편에 앉아 있었어.

아버지는 그것을 다 읽고는 구슬 같은 눈물을 흘리셨어.

아버지는 잠시 동안 눈을 감고 생각한 다음 종이를 찢어 버리셨지.

나는 아버지가 고민하시는 모습을 볼 수 있었어.

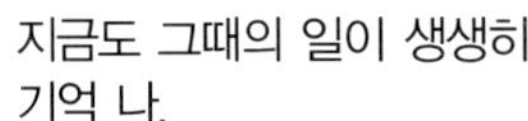
지금도 그때의 일이 생생히 기억 나.

나는 아버지가 몹시 화를 내며 나를 나무라시고 자기 머리를 치실 줄 알았는데, 놀랍게도 너무 평화로우셨지.
토닥 토닥
내게 얘기 했으니 됐다!

아버지의 구슬 같은 눈물방울이 나의 마음을 깨끗하게 해 주고, 내 죄를 씻어 버렸어.

나의 솔직한 고백이 아버지를 안심하게 했고, 나에 대한 사랑을 더 크게 한 것 같아.
아버지! 감사합니다~!

이런 사랑은 그것을 경험한 사람만이 어떤 것인지 알 수 있어.
사랑

"사랑의 화살을 맞은 자만이 그 힘을 안다." 는 찬송가처럼 이것은 내게 '아힘사'에 대한 살아 있는 교육이었어.

앞에서도 설명했지만 아힘사는 '모든 생명에게 해를 끼치지 않는다.' 는 뜻으로 자이나교도들이 중요하게 생각하는 것이지.

자이나교는 B.C. 6세기경 초기 힌두교에 반대하여 만들어진 인도의 종교야.
흥!
힌두교
자이나교

나는 힌두교도지만 자이나교의 영향도 많이 받았어.
힌두교
자이나교

나의 비폭력 운동의 뿌리는 '아힘사'라고 할 수 있어.

아힘사가 모든 것을 끌어안게 될 때, 모든 것을 변화시켜. 그 힘에는 한계가 없지.

비폭력 운동

아힘사

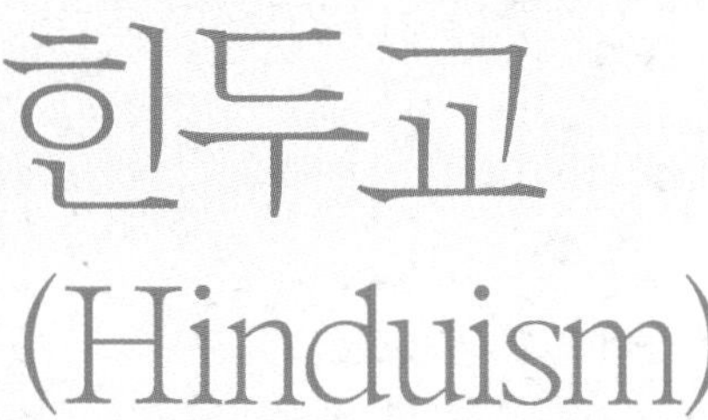

힌두교 (Hinduism)

힌두교(힌두이즘)는 '힌두'와 '이즘'이 합쳐진 말입니다. '힌두'는 인도의 옛 언어인 산스크리트어로 '큰 강'이라는 뜻으로 '인디아'나 '힌두스탄'이라는 말처럼 '인도'를 가리키는 말이고, '이즘'은 민족주의, 민주주의, 자유주의 등에 쓰이는 '주의主義'라는 말입니다. 두 말을 합치면 '인도의 종교' 또는 '인도에서 기원된 종교'라는 말로 해석되지만, 학자들은 '힌두교'를 명확히 설명하는 것은 너무도 어렵다고 합니다. 그래서 어떤 사람들은 '인도가 힌두교'이고, 인도인들의 삶과 문화, 생각을 알지 못하면 힌두교를 결코 이해할 수 없다고 말하기도 합니다.

비슈누 신

왜냐하면 기독교나 불교에서는 하나님, 예수님, 부처님을 믿고, 기독교의 성경, 이슬람의 코란과 같은 경전이 있지만 힌두교는 그렇지 않기 때문이지요. 또한 힌두교는 오랜 역사 속에 인도인들과 함께 발전하면서도 일정한 형식이나 틀을 갖춘 교리가 없으며, '바가바드 기타'와 같은 기록 또는 사람들의 입으로 이어져 오는 수많은 신화 속에 등장하는 많은 신들을 찾아 자유롭게 숭배하고 예배를 드리기 때문이지요.

소 위에서 사랑을 나누는 시바신

힌두교의 수많은 신들은 서로 연관되어 있기도 하고, 하나의 신이 변신하여 또 다른 신으로 탄생하기도 한답니다. 그 많은 신들 중 가장 중요한 3대신은 세상을 창조한 창조의 신 '브라만'과 유지의 신 '비슈누', 파괴의 신 '시바'입니다.

이중 인도인들의 존경을 가장 많이 받는 신은 '비슈누'로 그의 화신인 '라마'와 '크리슈나'와 더불어 가장 인기 있는 신이랍니다. 간디는 총에 맞아 쓰러지며 "오 라마! 라마!(오, 신이여, 신이여!)"라고 말하기도 했습니다. 이 '라마'가 바로 비슈누의 화신입니다.

인도에서 기원한 불교가 정작 인도에서 큰 영향을 끼치지 못하고 현재 불교신자 수가 전체 인구의 1%가 채 되지 않는 800만 명 정도에 불과한 이유 중 하나가 인도 사람들이 '석가모니'를 '비슈누의 화신'으로 생각하기 때문이기도 합니다.

'시바' 신 역시 인도인들의 숭배의 대상입니다. 시바는 보통 삼지창을 들고 긴 머리와 파란 목의 형상을 하며 소를 타고 다니는 가장 복잡한 신 중의 하나입니다. 그는 파괴자인 동시에 재건자이며 위대한 고행자이며 엄청난 성적 에너지를 지닌 관능의 상징이기도 합니다.

육도 윤회도

인도 국민의 80% 이상이 믿는 힌두교는 다양한 형태로 나타나지만 공통적으로 윤회와 업을 믿습니다. 윤회輪回란 수레바퀴가 돌고 도는 것처럼 세상 만물의 삶이 돌고 돈다는 뜻이랍니다. 흔히 "나는 전생에 공주였대." "나는 다음 생애에 나무로 태어날 거야!"라고 생각하는 것을 윤회사상이라고 합니다. 업은 인도 말로 '카르마'라고 하는데, 미래에 좋은 일이나 나쁜 일의 원인이 되는 몸과 입과 마음으로 짓는 일을 말하는 것입니다. 윤회와 업을 믿는 힌두교도들에게 시간은 시작도 끝도 없는 것이고, 현재의 삶은 나의 업에 의한 것이므로 운명으로 받아들이고 만족하며 살아가야 할 것으로 생각된답니다. 다음의 이야기를 읽으면 힌두교를 좀 더 쉽게 이해할 수 있을 것입니다.

어느 시인이 인도를 여행했을 때 일이랍니다. 40시간 정도 걸리는 긴 열차 여행이어서 어렵사리 좌석표를 구했다고 합니다. 세 명이 앉을 수 있는 좌석에 세 명이 타고 가는데 어떤 인도 남자가 좌석으로 다가오더니 미안하다는 말도 없이 엉덩이를 들이밀고 끼어들어 앉더랍니다. 그렇게 해서 네 명이 앉게 되었는데 또 다른 남자가 다가와 끼여 앉았습니다. 세 명이 앉을 자리에 다섯 명에 앉게 되니 자리는 형편없이 좁아졌겠지요? 여행은 아직 38시간이나 남아 있었습니

다. 시인은 잔뜩 구부린 자세로 차창에 얼굴을 비비며 얼핏 잠이 들었는데 또 다른 남자가 와서 걸터앉아 있더랍니다. 더 이상 참을 수 없이 화가 난 시인은 좌석표를 꺼내 보여주며 “이 자리는 내 자립니다. 이 표를 보세요. 여긴 내 자리입니다. 그러니 당신들은 다른 데로 가시오. 여긴 내 자리니까 내가 앉을 겁니다.” 하고 말했습니다. 그러자 외모로 보아 쉰 살 정도 돼 보이는 그 중의 한 남자가 시인을 올려보며 조용히 말했답니다. “그런가? 넌 도대체 무슨 근거로 이 자리가 너의 자리라고 주장하는가? 이 자린 네가 잠시 앉았다가 떠날 자리가 아닌가? 넌 영원히 이 자리에 앉아 있을 것인가?”라고요.

제5장 영국 유학시절 - 성장의 시간

나는 중 · 고등학교를 졸업하고 라지코트에서 가까운 대도시의 대학에 진학했다가,

대학입학

부족한 실력 때문에 1학기만 끝내고 집으로 돌아오고 말았어.

대학중퇴
쿵

우리 집과 가까운 사이이면서 고문*이 되어 주는 '마브지 다베'라는 분이 계셨는데,

*고문(顧問) – 풍부한 지식과 경험으로 의견을 말하고 도움을 주는 사람.

내가 집에 있을 때 마침 그분이 찾아와서

어머니와 큰형과 말씀을 나누다가 내 공부에 대해서 물었지.
간디는 요새 어떤가요?

내가 대학에 다닌다고 하자 그는 이렇게 말했어.

시대가 달라졌습니다.
제대로 교육을 받지 않고는
당신들 중 누구도 아버지의
지위를 이을 수 없을
것입니다.

4~5년 걸려 대학을 나온다고 해도
기껏해야 60루피짜리 일자리를
얻고, 총리의 자리는 어림도
없지요.
총리
퉁

내 아들처럼 법률을 전공한다 해도
시간만 많이 들 뿐, 그 때가 되면
법률가들이 마구
쏟아져 나와
총리직을 노리게
될 것입니다.
총리

나는 차라리
모한다스(=간디)가
영국으로 가는 것이 훨씬
낫다고 생각합니다.

내 아들의 말로는 영국에서는
변호사가 되기 매우 쉽다고 합니다.
3년이면 돌아올 수 있고, 학비도
4, 5천 루피를 넘지 않을
것입니다.
강추

영국에서 갓 돌아온 변호사를
생각해 보십시오. 얼마나
버젓하게 삽니까?

흠흠….
샤방
샤방

총리 자리는 원하기만
하면 될 것입니다.
총리

내게 그보다 더 좋은 말은
없었어.

나는 대학이 싫어서 죽을 지경이었기 때문에
영국에 빨리 보내주면 좋겠다고 생각했어.
나는 사실은
변호사 시험에
합격하기가
쉽지 않을 것 같아
의사 공부를
하기를 원했지.

그러나 형은, 아버지가 '힌두교도는
시체를 해부하는 일을 해서는
안 된다.' 고 했다며 반대했어.
NO!

마브지 어른 역시 힌두교 경전에서 의사라는 직업을 금하지는 않지만,
이 대가족을 돌보려면 총리나 그 이상이
되어야 하는데 의사가 되면 총리가
될 수 없다고 하며 반대했지.

큰 형은 영국 유학에 필요한 비용을 마련하는 문제로 걱정을 많이 했지만 나는 영국으로 간다는 생각에 들떠 있기만 했어.
통장
나 영국가지롱~

그런데 어머니는 나의 영국 유학에 반대였어.

어머니는 나와 떨어지고 싶지 않은 데다
사랑하는 내 아들~
어.. 엄마~

사람들에게서 영국에 간 젊은이들이 술을 마시고, 고기를 먹는 등 사람 버린다고 하는 말을 들었기 때문이지.

한국의 어떤 어머니들은 자식의 성공을 위해 아버지는 혼자 남겨두고 자식들과 유학을 떠난다고 하던데,
기러기 아빠!
조기 유학

우리 어머니에게는 상상할 수도 없는 일이었지.
우리 어머니는 신의 뜻에 어긋나는 생활을 하면서 얻은 성공은 어떤 것도 의미가 없다고 생각하시는 분이셨거든.

나는 어머니께 술과 여자와 고기를 가까이하지 않겠다는 맹세를 하고

약속

영국 유학을 허락받을 수 있었어.

당시 라지코트에서 영국으로 유학 가는 젊은이는 드문 일이었기에 중·고등학교에서는 나를 위해 송별회를 열어 주었어.
와아아
와아아

나는 몇 마디 감사의 인사말을 써 놓았는데, 너무 긴장해서 거의 제대로 읽지도 못했어.
앨프레드
저… 정말 가… 감사 합니다.

어머니의 허락과 축복을 받은 나는 아내와
태어난 지 몇 달 안 된 아기를
남겨두고

신이 나서 영국으로 떠나는 배를 타기 위해 형과 함께 뭄바이로 갔어.
인도↔영국
우아!
진짜 크다!

뭄바이에 이르자 친구들 말이 지금은
인도양의 물결이 너무 거세니 11월에
출발하는 것이 좋다는 것이었어.

더구나 폭풍을 만난 배가
침몰했다는 소식도 들렸어.

형은 걱정이 돼서 바다가 잠잠해질
때까지 출발을 늦추게 하고, 나와 돈을
친척집에 맡기고 집으로 돌아갔어.

뭄바이에 있는 동안 참 지루했지.
후우~

나는 줄곧 영국에 가는 꿈만
꾸었어.
드디어 영국이다!

그러는 동안 우리 계급의 사람들에게
내가 영국으로 떠나 우리 종교를
더럽힐 거라는 소문이 돌았어.
우릴
욕되게
하는 자가
있다!!

우리 계급의 사람들은 나의 어머니처럼
영국에 가면 술과 고기를 먹는 등 종교를
지킬 수 없다고 생각하고 있었거든.

배신자를
처단하라!!

나 때문에 우리 계급의 총회가
열렸어.
계급외
출입금지

나는 거의 끌려 가다시피
총회에 참석했는데, 총회에서는
나의 유학을 금지했어.
판결
유학금지

내가 이것을 거절하자,
나를 계급에서 내쫓고,
바이샤계급

누구든지 나를 도와주거나 부두에 송별하러 나가는 사람은 벌금을 물릴 거라고 선포했어.
걸리기만 해 봐라….

이렇게 어려움에 빠져 걱정을 하고 있을 때 어떤 변호사가 배로 영국에 간다는 소식을 들었어.
나도 영국 가고 싶다.

나는 친척에게 형이 맡겨놓은 돈을 달라고 했으나, 친척은 계급을 버릴 수 없다며 돈을 주지 않았어.
No!

나는 다른 친구에게 나중에 형에게 돈을 받으라고 하고, 뱃삯과 약간의 여비를 빌려서
매표소
영국! 한 명이오!

드디어 9월 4일 뭄바이를 떠나 1888년 9월 29일 영국에 도착했어.
영국이다… 흐흐흐….

나는 배에서 검은 옷을 입고 있었지만, 내릴 때는 하얀 색 양복을 입었어.
샤방
이 정도는 입어 줘야….

하지만 몹시 추운 날씨였기 때문에 그런 옷을 입은 사람은 나 혼자뿐이었지.

배에서 같이 내린 사람들과 나는 빅토리아 호텔에 묵었어.
VICTORIA

그 호텔은 런던 최고의 호텔 가운데 하나로 꼽히는 곳인데 나는 화려함에 눈이 휘둥그레졌고,

비싼 숙박료에 한번 더 놀랐지.
띠용

소개장을 갖고 있던 우리 집안의 친구 분인 메타 박사에게 전보를 치자, 곧바로 달려왔어.

나는 그가 쓴 비단 모자가 흥미로워서 별 생각 없이 그의 모자를 쓰다듬었어.

메타 박사는 약간 화난 얼굴로 주의사항을 말해 주었지.
No Touch!

남의 물건을 건드리지 말게. 또 처음 만나는 사람을 보고 우리 인도에서 하듯이 질문을 하지 말 것, 떠드는 소리로 말하지 말 것, 남에게 말할 때에 인도에서 하는 것처럼 '서(Sir)라는 말을 쓰지 말 것. 그것은 하인이나 아랫사람이 자기 주인에게만 하는 말이라네.

이것이 내가 유럽 사람들의 예의에 대해 처음 배운 것이었지.
펑

빅토리아 호텔은 너무 고급이어서 학생이 묵을 만한 곳이 아니었지.

곧 나는 영국인 친구의 방으로 옮겼어.
여기야.

그는 나를 형제처럼 대해주고 영국의 생활과 예절, 영어회화 등을 가르쳐주었지.
생활예절

그러나 나에겐 음식이 큰 문제였어.

고기는 당연히 먹을 수 없는 데다, 아무런 양념도 하지 않은 영국식 삶은 채소는 입에 맞지 않았어.

게다가 부끄러워서 빵을 두세 조각 이상 달라고 하지 못했어. 한참 때의 식성 좋은 젊은이였는데도 말야.

집주인은 나에게 어떤 음식을 해줘야 할지 몰라 쩔쩔맸고,

나 보고
어떡하라구~

친구는 내게 고기를 먹이기 위해 화를 내기도 하고 설득도 하고 토론을 벌이기도 했지.

먹어 줘..

한 달 정도 지나서 나는 인도에 몇 년 산 경험이 있는 어떤 영국 할머니의 집으로 옮겼어.

Bye ~ Bye

이 할머니는 나의 맹세를 이해하고 잘 돌봐주겠다고 약속했지.

하지만 나는 여기에서도 굶어야 했어.

꼬르륵
꼬르륵

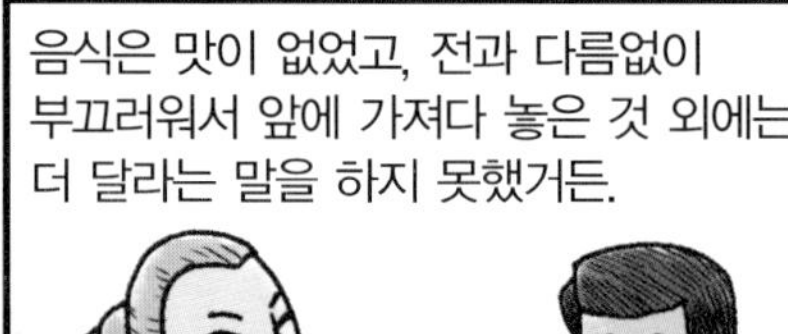

음식은 맛이 없었고, 전과 다름없이 부끄러워서 앞에 가져다 놓은 것 외에는 더 달라는 말을 하지 못했거든.

나는 여전히 배가 고팠어.

엄마
밥 먹고
싶다….

나의 유학생활은 크게 바쁘지 않았어. 내가 다닌 '이너 템플' 법학원은 강의 몇 개를 듣고,

쿨
쿨

12학기를 채우고,

12

시험을 통과하고,

시험

스물한 살이 되면 변호사 자격을 얻을 수 있었기 때문이지.

21
참, 쉽죠~
잉!

한국에서 변호사가 되는 과정에 비하면 정말 쉽지.
한국
차라리 별을 따지….

그러던 중에 나는 한가지 소일거리를 찾았어.
찔리면 마이 아파!
장애물 없는 이 길이야!

바로 신문이었지.

나는 그때까지 신문을 읽어 본 적이 없었는데 영국에서는 날마다 신문을 읽는 데 취미를 붙이게 되었지.

아함~
뭐… 딱히 할 일도 없고….

날마다 여러 개의 신문을 훑어 보는 데 1시간도 안 걸렸어.
58:09
아싸!

그래서 나는 돌아다니기 시작했고 마침내 채식만 파는 식당을 찾아냈지.
웰빙 레스토랑

그날 나는 영국에 온 후 처음으로 배불리 먹을 수 있었지.
꺼억~

또 그곳에서 《채식주의를 위하여》라는 책을 사서 읽고 깊은 감명을 받았어.
채식주의를 위하여..

이 책을 읽은 날부터 나는 스스로의 선택으로 채식주의자가 된 거야.
채식주의자

이제 채식주의를 퍼뜨리는 것이 내 사명이 되었어.
채식

채식주의에 대한 나의 관심은 갈수록 커졌어.
채식
슉 슉

나는 채식주의에 관한 지식을 얻을 수 있는 모든 책들을 구해 읽었지.

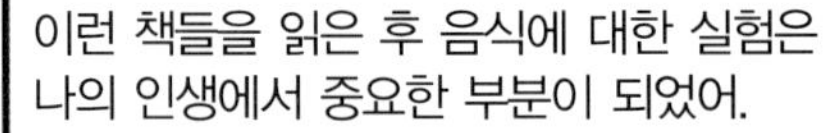

이런 책들을 읽은 후 음식에 대한 실험은 나의 인생에서 중요한 부분이 되었어.

그래!
바로
이거야!

그러는 동안에도 내 친구는 계속해서 고기를 먹어야 한다고 설득했지.
이렇게
약해 빠져서
어떡할 거야!

그 친구는 내가 고기를 먹지 않으면 몸이 허약해질 뿐 아니라,

그거 봐~
아이고
어지러워
~

영국 사회에 끝내 마음을 못 붙이고 바보가 되어 버릴 것이라고 생각했거든.

넌 내 친구도 아냐!
툭

나는 고기를 먹을 수는 없지만 그의 마음을 편하게 해줘야겠다고 결심했지.

영국사회에 어울리지 않는 행동을 하지 않고 세련된 행동을 해서 채식으로 생기는 미안함을 보충해야겠다고 생각했어.

그래서 나로서는 도저히 불가능할 것 같은 '영국신사'가 되기로 했지.

그까이꺼
해보는거야!

영국신사가 되려면 어떻게 해야 할까?

일단
겉모양을
바꿨지.

새 옷을 맞추고 실크 모자를 하나 사고,

런던의 중심가에서 10파운드를 들여서 야회복도 한 벌 맞췄어.

인도의 형에게 편지를 해서 겹으로 된 금시계 줄을 보내달라고 했고,

하라는 공부는
안 하고….
이 정신나간 놈!
찌익

묶여 있는 넥타이가 수준이 낮아 보여 제대로 된 넥타이를 사서 내 손으로 매는 법을 배웠어.

인도에서 거울은 이발사가 면도를 할 때나 보는 사치품이었는데

나는 매일 큰 거울 앞에 서서 넥타이를 매고 예의 바르게 머리를 가르며 모양을 내느라 10분씩이나 허비했어.

내 머리는 뻣뻣해서 가만히 붙어 있게 하기 위해 날마다 빗으로 손질을 해야 했어.

모자를 썼다 벗었다 할 때마다 머리를 바로잡는 습관이 들게 된 것은 말할 것도 없어.

그만 좀 해!!

나는 최신 유행의 멋쟁이 영국신사의 모습을 갖췄지. '강남 로데오 패션' 이라고나 할까?

바로
이 모습인데,
어떤가?

그런데 외모는 영국 신사가 되었지만, 진짜 신사가 된 것 같지는 않더군.

정신 차려!
이놈아!
퍽

그래서 영국 신사가 되기 위해 필요한 것들을 배우기로 했어.

이제
정신 차렸겠지?
영국 신사
되는 법

나는 먼저 댄스 반에 등록을 했지.

미끌

그런데 아무리 해도 춤이 잘 안 되는 거였어. 피아노 박자를 맞추질 못하니 무슨 춤이 되었겠니.
박자나 맞추고 와~!

난 다시 생각했지.
곰곰

서양 음악이 익숙하지 않아서 그렇구나. 그렇다면 서양 음악을 듣는 귀를 키우기 위해 바이올린을 배워야겠다고.

나는 3파운드를 들여서 바이올린을 하나 사서 배우기 시작했지.
어때? 많이 늘었지?

또 내가 여행을 꿈꾸는 나라인 프랑스어도 배우기 시작했어.
봉쥬르~
어버버..

그리고 웅변술도 등록했는데, 그제서야 비로소 나는 꿈에서 깨어났어.
퍽

쥐를 쫓기 위해 고양이를 기르고,
고양이에게 우유를 먹이기 위해 암소를 기르고,
암소를 기르기 위해 하인을 두었다는 이야기를 들어 본 적 있니?

내가 꼭 그 꼴이지 뭐야!

내가 영국에서 평생을 살 것도 아닌데 웅변은 배워서 무엇하나? 댄스가 나를 신사로 만들어 줄까? 바이올린은 인도에서도 배울 수 있다.
나는 학생이니 공부를 열심히 해서 변호사 자격을 얻어야 해. 내 인격이 나를 신사로 만들어 주면 더 좋지 않을까?
벌떡

영국 신사가 되어 보겠다던 생각은 석 달 정도 계속했고,
영국신사

신사다운 옷을 입으려는 생각은 여러 해 계속했지만,
꿈에서 깨어난 후 나는 다시 학생이 되었어.
내 본분은 학생이야.

이렇게 생활했다고 해서 내가 잠시 '날라리'가 되었다고 생각하면 안 돼.
내 스타일은 범생룩이야.

그때도 나는 버스 값, 우표 값, 신문 값으로 쓴 작은 비용까지 빠짐없이 적고,
금전 출납부

밤이면 가계부를 맞춰 봤어.

그 습관은 그 후에도 계속되어 내가 이끄는 운동을 할 때 큰 빚을 지는 일 없이 늘 돈이 남아 돌아갈 수 있었어.
내 사전에 빚이란 없거든~~
금고
대출

너희들도 나의 이런 습관을 배우면 좋을 것 같아.

내 살림살이를 엄격히 살펴가는 가운데 나는 절약의 필요성을 깨달았지.
아껴야 잘 살지.

그래서 다른 사람의 집에 사는 것보다 나 혼자 쓸 방을 얻어 사는 게 돈이 훨씬 덜 들 거라 생각됐어.
포장 이사

내 일터에 걸어서 30분이면 갈 수 있는 곳으로 이사를 해서 차비도 절약하고
저금통

또 스토브를 들여 놓고, 아침 식사도 만들어 먹었지.

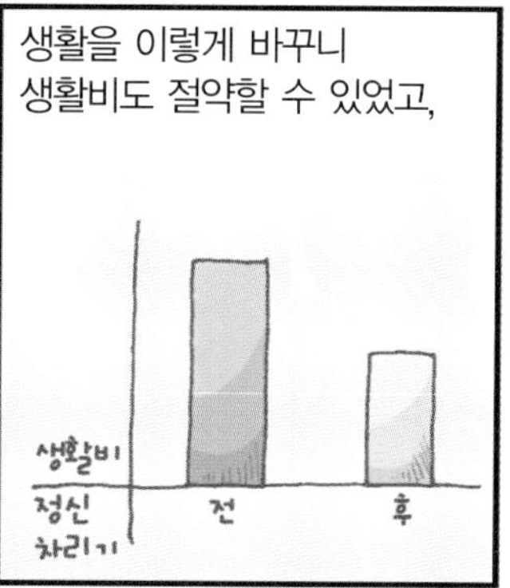
생활을 이렇게 바꾸니 생활비도 절약할 수 있었고,
생활비
정신 차리기
전
후

하루 16km 정도 걸으니 건강해 졌어.
볼록

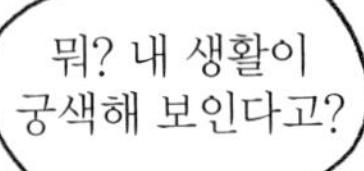
뭐? 내 생활이
궁색해 보인다고?

이렇게 생활함으로써 보다 진실해졌고, 나의 영혼은 무한히 기뻐했으며, 우리 집 형편에도 맞출 수 있었는 걸.

나는 공부에 집중하면서도 채식주의에 대해 자세히 공부하고, 많은 채식주의자들을 만나고,
토마토는
과일일까요?
아니면
야채인가요?

채식주의 단체의 회원이 되어,
회원가입
딸깍

채식주의에 대한 여러 편의 글을 쓰기도 했어.
내겐 너무
아름다운 채식

그러면서 나는 집에서 가져온 단 음식과 양념류도 먹지 않게 됐지.
나는야
진정한
채식주의자!
단음식
양념
쓰레기통

마음을 바꾸니 양념을 즐기던 버릇이 없어지고, 양념 없이 익힌 시금치가 맛있게 느껴지더군.
음…
담백한
이 맛!

나는 몸을 지탱하는 데 필요한 것만 먹어야 한다는 확신을 가지고 있었기 때문에
필요한 열량 섭취

홍차와 커피를 그만두고 코코아를 마셨어.

한동안은 녹말로 된 음식은 안 먹고, 빵과 과일만 먹어보기도 하고,
요번 주는
뭘 먹어
볼까?
식단

치즈와 우유와 달걀만 먹어보기도 하는 등 여러 가지 실험을 해 보았지.
꽐꽐꽐
실험은 쭈욱 계속 되는 거야~

나는 이런 실험을 통해 진짜 맛은 혀에 있는 것이 아니라 마음에 있다는 것을 알게 되었어.
역시 진실은 따로 있었어.
꿀꺽

하지만 채식주의를 실천하는 것이 생각처럼 간단한 문제는 아니었지.
채식주의실천

어떤 음식을 먹고, 먹지 말아야 하는지 헷갈릴 때가 자주 생겼기 때문이야.
콕콕

보통 채식주의자들 사이에서는 이에 대한 세 가지 의견이 있어.
고기에 대한 견해

첫째, 고기를 새나 짐승의 살이라고 생각하는 사람은 새나 짐승의 고기는 안 먹지만 생선이나 달걀은 먹지.
달걀은 역시 맥반석이 최고지….
식혜

둘째, 고기를 모든 생물의 살이라고 생각하는 사람은 고기나 생선은 안 먹지만 달걀이나 우유는 먹어.
이걸 먹어? 말어?

셋째, 고기를 모든 생물의 살과 거기서 나오는 것까지 포함한다고 생각하는 사람은 달걀이나 우유도 먹지 않아.
흑흑, 야만인들….

나는 물론 어머니와의 맹세대로 달걀도 먹지 않아야 한다고 생각했지.
3

하지만 채식전문 식당조차 달걀이 들어간 음식이 많았기 때문에 그 음식의 재료가 무엇인지 귀찮게 일일이 물어서 확인해 보아야 할 때가 많았어.
VEGETARIAN
혹시 으깬 달걀이 들어간 거 아닌가요?

이런 것이 나에게 혼란을 주기는 했지만 어머니와 한 맹세대로 실천하자 나의 음식은 아주 간단해졌어.
의심되는 음식은 아예 먹지도 말거라!

영국에서의 음식에 대한 나의 실험은 경제적인 면과 건강을 함께 고려해서 실천한 것이었어.
경제
건강

나중에 남아프리카에 가서는 종교적인 면까지 포함해서 고된 실험을 했지.
퉤! 퉤!

채식주의에 대한 활동을 열심히 해 나가자, 나는 단체의 집행위원으로 뽑혔어.
집행 위원 취임식
….
위원장

나는 단체회의에 꼭꼭 나갔지만 도무지 말을 할 수 없었어.

말하고 싶지 않아서가 아니라, 어떻게 하면 내 마음을 제대로 표현할 수 있는지 알 수 없었기 때문이지.

다른 사람들이 나보다 잘 알고 있는 것만 같았고,

간신히 용기를 내 말하려고 하면 새로운 안건이 시작되곤 했어.
아! 창피해….

이런 수줍음은 영국에 머무르는 동안 계속되어서, 6~7명의 사람이 모여 있는 친목 모임만 가도 나는 벙어리가 되어 버렸어.

나의 타고난 수줍음은 가끔 남의 웃음거리가 되기는 했지만, 내게 손해를 끼쳤다고 생각하지는 않아.
앞이 캄캄해졌어 ….
내가 이런 수줍음을 극복한 것은 나중에 남아프리카에서였어.

수줍음은 내게 말을 조심하고, 생각을 조절하는 버릇을 갖게 해주었지.
좋게 얘기하면 침착해졌다는 얘기지.

덕분에 나는 내 말이나 글에 대해 후회해 본 적이 별로 없어.
치..
침착하게...
생각
생각
생각
생각
생각

이런 경험은 진리를 찾아가는 사람에게 '침묵'은 정신적 훈련의 한 부분이란 것을 가르쳐 주었어.
진리
이 줄이 무슨 줄이죠?

나는 채식주의자뿐만 아니라 여러 명의 종교인들과도 사귀면서 종교에 대한 책도 많이 읽었어.

그 친구들 중 어떤 이는 인도 말로 된 《바가바드 기타》('기타'라고도 함)를 같이 읽자고 하더군.
Bhagavad -gita
탕
탕

무슨 기타를 읽느냐고?

《바가바드 기타》는 '신의 노래'라는 뜻으로 힌두교의 중요한 경전이야. 기독교의 《성경》과 같은 책이지.
성경

그때까지 나는 《바가바드 기타》를 우리말로 읽어 본 적이 없었어.
어땠어? 읽어 본 소감이….
펑

부끄러웠지만 사실대로 말하고 그들과 같이 읽기 시작했어.
그.. 그럴수도 있지. 뭐... 아하하..

그 속에서 나는 많은 진리를 배울 수 있었어.
쏘옥
쏙
진리
진리
진리

외국에 가면 애국자가 된다는 사람들처럼 나도 영국에 와서야 나의 뿌리를 만나게 된 셈이지.
인도

그 중 마음 깊이 새긴 한 구절을 소개할게. 한번 소리 내어 읽어 보기 바라.

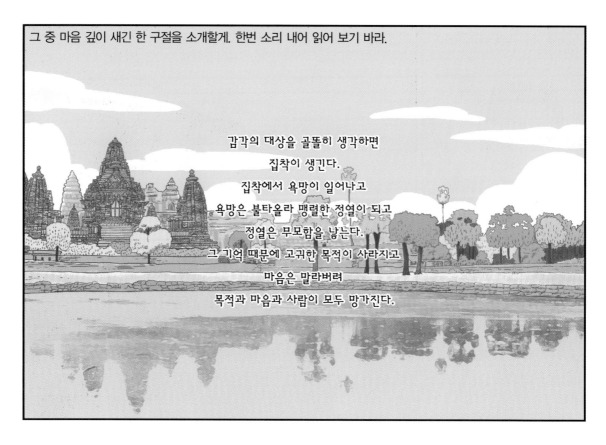

감각의 대상을 골똘히 생각하면
집착이 생긴다.
집착에서 욕망이 일어나고
욕망은 불타올라 맹렬한 정열이 되고
정열은 무모함을 낳는다.
그 기억 때문에 고귀한 목적이 사라지고
마음은 말라버려
목적과 마음과 사람이 모두 망가진다.

나는 또 어떤 기독교인의 권유로 《성경》도 읽었어.

구약성서
신약성서

잘 아는 것처럼 성경은 '옛 계약'이라는 뜻의 '구약'과

구약

예수의 말과 가르침을 기록한 '신약'으로 되어 있지.

신약

구약의 창세기를 읽고 그 다음을 읽으려 했으나

어렵기만 하고 재미도 없고, 이해할 수도 없어서 책을 읽으려고만 하면 잠이 와서 다 읽지 못했단다.

Z Z
낭의 권유를
무시해?!
이익..
성 경

그러나 신약은 매우 다른 인상을
주더군.

"누가 오른 쪽 뺨을 치거든 왼뺨을 내 주어라. 누가 네 겉옷을 달라고
하면 속옷까지 주어라."는 구절은 나를 한 없이 기쁘게 하였어.
어머! 변태야!
난 성서대로 했을 뿐인데...

《성경》과 《바가바드 기타》의 가르침을 하나로
통일해 보려고 노력하자
크로스
합체

'버리는 것' 이야말로 종교의 최고 경지라는 생각이
마음 속에 강하게 울려왔어.
뎅
뎅
뎅
해탈
버리는 것

즉, '버리는 것' 또는 '내버림'에 대한
작은 씨앗을 갖게 된 정도라고 이해하면
될 거야.
버리는 것
내버림

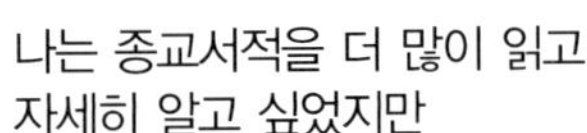
나는 종교서적을 더 많이 읽고
자세히 알고 싶었지만

아직 멀었어..

시험공부로 다른 것을 할 여유가
없어서 깊게는 접할 수 없었어.
내겐 시험이 먼저야!
종교 서적

이렇게 3년을 보내고 마침내 1891년 시험에
합격해서 변호사 자격을 얻었고,
변호사
사법고시패스

다시 인도로 돌아왔어.

영국 유학파 변호사가
21살의 내 모습이었지.

제6장 남아프리카의 쿨리 변호사

- 1등석은 안 돼!

인도에 돌아오자 슬픈 소식이 나를 기다리고 있었어.
여봉~!!
슬픈소식

내가 영국에 있는 동안 어머니가 돌아가신 거야.

형은 내가 외국 땅에서 가슴 아파할까봐 일부러 알리지 않았어.
절대 쉿!

어머니의 죽음을 알게 되자 가슴이 내려앉더군.

가슴 속에 두고두고 기다리던 것이 다 부서져 내린 것 같았어.

하지만 나는 슬픔을 참고 평소의 내 모습으로 돌아와야 했어.
그러고 있을 시간없어

형은 나에게 큰 기대를 걸고 있었거든.
기대
잘 어울리는데?

형은 내가 돈을 많이 버는 유명한 변호사가 되기를 바랐어.
형 옷좀 사 입어..

형은 속이 넓고 다른 사람의 잘못을 너그럽게 이해하는 사람이었기 때문에 친구가 많았는데
내 동생 변호사야!
오올~

그들이 나에게 많은 소송사건을 의뢰해 줄 것이라고 생각했어.
일 좀..
!!

당시에 신참 변호사들은 5~6년씩 사건을 맡지 못해 허송세월을 보내는 경우가 많았기에, 나는 열심히 인도 법에 대해 공부했어.
내가 알고 있는 것은 영국 법에 대한 이론뿐이었거든.

형은 소송사건을 얻어주려고 최선을 다하며 뭄바이에 조그마한 사무실을 하나 차려줬어.
간디사무실 여기로

처음으로 나는 정말 '작은 사건'을 하나 맡았어.
애걔?

잠시 재판에 나가서 증인들에게 몇 가지를 물어보면 되는 일이었지.
뭐 간단하지….

결과가 어떠했는지는 이미 알고 있지?

나는 신문을 위해 일어섰어.

간이 콩알만 해지고 머리가 핑핑 돌아 온 법정이 다 돌아가는 듯하더군.

무엇을 물어야 할지 아무 생각도 나지 않았어.
…

앞이 캄캄해서 아무것도 보이지 않았지.

간신히 다시 주저앉아 다른 변호사에게 사건을 맡기고 받은 돈은 돌려주겠다고 말하고는 황급히 재판정을 빠져나왔어.

너무 부끄럽더군.
사건을 맡을 용기가 나기 전까지는 어떤 사건도 맡지 않겠어.

그 이후로 남아프리카에 갈 때까지 다시 법정에 나가지 않았어.
이렇게 말하니 내 결심이 엄청 대단하게 느껴지나?
끄덕 끄덕

내가 잘해서 그렇게 된 게 아니라, 그럴 수 밖에 없었기 때문이지.
법원

질 것이 뻔한데 내게 사건을 맡길 바보가 어디에 있겠니?

알다시피 내가 유학하느라 형은 돈을 많이 썼어.
텅 텅

거기에다 변호사의 신분에 맞춘다고 우리 집 살림을 영국 풍으로 바꾸느라 또 돈이 많이 들었는데

아무도 나에게 사건을 맡기지 않으니 어찌할 바를 모르겠더군.
그러게 첫단추를 잘 꿰야지.

그래서 나는 '교사'가 될까 생각해 보기도 했어.
교사는 아무나 하냐?!

신문광고를 보고 어떤 유명한 고등학교의 교사 모집에 원서를 냈어.
입사 원서

교장은 나와 면담을 한 후 내가 대학 졸업생이 아닌 것을 알고 거절해 버리더군.

내가 나온 학교는 정식 대학이 아니라 '법학원' 이었기 때문이지.

그래도 난
유학파인데...

나는 다시 고향 라지코트로 와서 사무소를 차렸어.

변호사 간디

여기에서는 법정 변호사가 아니라 '신청서' 나 '진정서' 를 써 주는 사무 변호사의 역할을 했어.

법정은
아직
준비가...

수입은 괜찮았지.

그것은 나의 능력 때문이 아니라 형의 친구가 안정된 변호사여서 큰 사건은 유명한 변호사에게 보내고 나에게 보잘 것 없는 사건의 신청서를 쓰는 일들을 보내 주었기 때문이었어.

이렇게
경험을
쌓는 거야.

그러던 중 '다다 압둘라 회사' 에서 남아프리카의 소송사건을 의뢰해 왔어.

다다압둘라

'다다 압둘라 회사' 는 남아프리카에서 사업을 하는 회사로 같은 인도인과 큰 소송을 하고 있었는데 중요한 일은 유명한 변호사와 계약을 하고 있었고, 일종의 보조 변호사가 필요하여 나에게 이런 제안을 했던 것이었어.

내가
잘 할 수
있을까?
못하면
어떡하지?
아내와 아기들은
어떻게 하고?
청약저축은?
그래!
해 보는 거야!

계약 조건은 1년, 보수는 귀국할 때 드는 1등석 여비와 105파운드로 변호사에 대한 대우라기보다 회사의 말단 직원에게 주는 수준이었지.

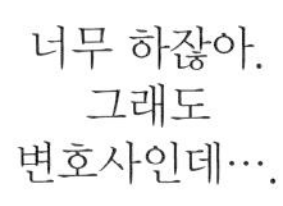
너무 하잖아.
그래도
변호사인데….

뭐… 경험이라
생각해야겠지?

나는 이 제안을 받아들여 남아프리카로 갔어.

남아프리카

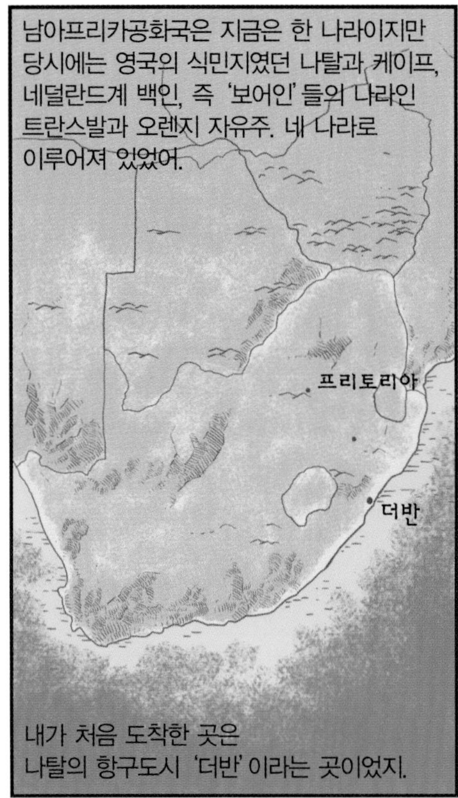
남아프리카공화국은 지금은 한 나라이지만 당시에는 영국의 식민지였던 나탈과 케이프, 네덜란드계 백인, 즉 '보어인'들의 나라인 트란스발과 오렌지 자유주. 네 나라로 이루어져 있었어.
프리토리아
더반
내가 처음 도착한 곳은 나탈의 항구도시 '더반'이라는 곳이었지.

'다다 압둘라 회사'의 '압둘라 셰드'는 나의 옷차림과 생활방식이 유럽인들처럼 고급인 것을 알고 놀라더군.
호오~ 옷 좀 입는데…?
어리둥절

남아프리카에 온 지 이틀인가, 사흘째 되던 날 그는 더반의 법정을 구경시켜 주었는데 내가 법정에 들어가 변호인 옆에 앉자 판사가 나를 바라보더니 나에게 '터번'을 벗으라고 하더군.

나는 거절하고 법정을 나왔어.
난 인도인 이오!

인도인들 중에 이슬람교 풍속을 지키는 사람은 터번을 그냥 쓰고 있지만 그 밖의 인도인들은 법정에 들어가면 터번을 벗어야 하네.

터번을 벗고 영국 모자를 써야 모욕을 당하지도 않고 불쾌한 논쟁을 피할 수 있겠군.

하지만 터번을 벗으면 사람들이 자네를 시중꾼 정도로 여길 것이네.

나는 그의 충고가 옳다고 생각해서 '법정의 터번 사건'을 신문에다 써 보냈어.
더반 일보

내가 법정에서 터번을 쓴 것은 인도인으로서 정당한 행동이었다는 것이었지.
터번 자율화

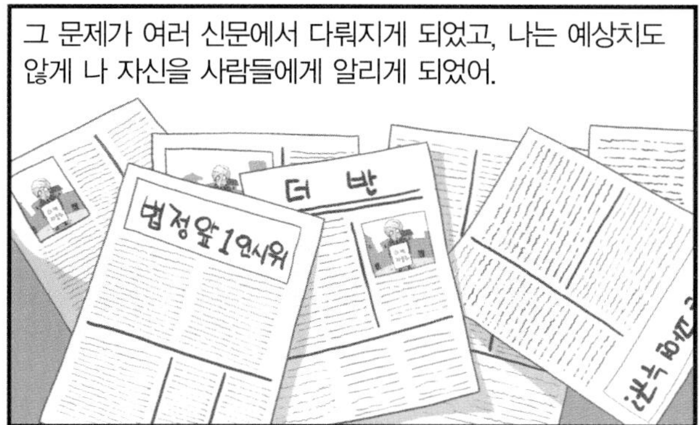
그 문제가 여러 신문에서 다뤄지게 되었고, 나는 예상치도 않게 나 자신을 사람들에게 알리게 되었어.
더 반
법정앞1인시위

나는 더반에 사는 여러 사람들을 새롭게 사귀었어.

그러던 중에 회사에서 사건에 대한 준비를 해서 트란스발의 '프리토리아'로 오라는 편지를 받았어.

더반에서 프리토리아까지 가는 동안 얼마나 많은 일을 겪었는지…
으~
끔찍해…

여러분도 나와 같은 쿨리 변호사가 되어 여행을 떠나보자고.
아! 나를 왜 쿨리 변호사라고 부르는지에 대해 설명을 안 했군.

'쿨리' 라는 말은 서양인들이 중국 노동자를 무시해서 부르는 말인데, 일반적으로 유색 인종을 모욕하는 뜻으로 사용되었어.

흥! 쿨리들….

남아프리카에 있는 인도인의 상당수가 5년 동안 계약을 맺고 노동자로 온 사람들이기 때문에 모든 인도인들을 '쿨리' 라고 불렀어.
5년계약노동자
그래서 내가 '쿨리 변호사' 로 알려진 거지.

나는 더반을 떠나면서 1등석 기차표를 한 장 받았어.

압둘라 셰드는 침대칸을 사라고 했지만 침대칸은 돈을 더 내야 하고, 나는 늘 1등석만 탔기 때문에 그의 말을 듣지 않았지.
난 안들을 뿐이고~

기차가 '마리츠버그' 라는 곳에 도착했을 때였어.
끼익

한 승객이 들어오더니 나를 아래위로 훑어보고 내가 유색인종인 것을 알고 역무원 둘을 데리고 들어왔어.
?

역무원은 나보고 짐차 칸으로 가라고 하더군.
1등석표를 가지고 있는데 왜 그래요?

아니, 안 돼! 이 칸에서 나가란 말이야. 그렇지 않으면 경찰을 불러 밀어낼 테니까.

경찰이 와서 내 손을 잡아 끌어 내리더니 내 짐도 던지고 기차는 떠나 버렸지.

나는 기차역에 남겨졌어.

겨울이라 몹시 추웠는데 외투는 짐 속에 있고, 짐은 철도원들이 보관하고 있어서 모욕을 당할까 봐 달라는 말도 못하고 등불도 켜지지 않는 실내에서 밤새 앉아 있었어.

나는 나의 의무에 대해 생각하기 시작했어.
내 권리를 위해 싸울 것인가? 인도로 돌아갈 것인가?

그렇지 않으면 모욕을 잊고 프리토리아에서 사건을 끝낸 다음 인도로 갈 것인가?
하지만 할 일을 하지 않고 돌아가는 것은 비겁하다.
절대 그럴수 없어~!!

나는 어떤 고통을 겪더라도 뿌리 깊은 인종차별의 병을 뽑아버리지 않으면 안 된다고 생각했어. 내가 받은 명예훼손에 대한 보상도 인종차별을 없애는 데 필요한 한도에서 이용하기로 했지.
인종차별

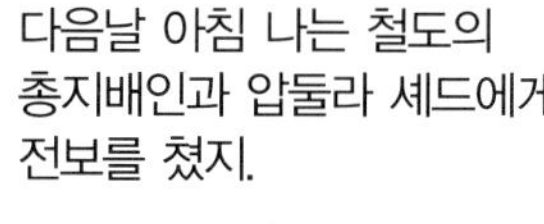
다음날 아침 나는 철도의
총지배인과 압둘라 셰드에게
전보를 쳤지.

전보

압둘라 셰드는 곧바로 달려와 나를 위로하며
내가 당한 일은 항상 있는 것이라고 하더군.

저녁이 되어서야 나는 더반에서
거절했던 침대표를 사서 '찰스
타운' 이라는 곳까지 갔어.
찰스타운

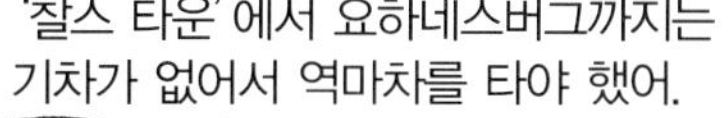
'찰스 타운' 에서 요하네스버그까지는
기차가 없어서 역마차를 타야 했어.

승객들은 역마차 안에 태워야 하는데 리더(= 마차를 부리는 백인)는
나를 쿨리로 생각하고 자기가 역마차 안에 앉고 나를 자기 자리인
마부석 옆에 앉으라고 하더군.

나는 그것이 매우 부당하고
모욕적인 것을 알고 있었지만
참았어.

그런데 오후가 되자 리더는 더러운 천 하나를
바닥에 깔아놓고 자기가 나의 자리에 앉고
나에게 거기에 앉으라는 것이었어.

담배를 피우거나 바람이라도
쐬고 싶었던 거지.
아! 좋다~

나는 그 같은 모욕을 도저히
견딜 수 없었어.
내가 안에 앉아야
하지만 당신이
나에게 여기에
앉으라 했고, 나는
그것을 참았소.

이제 당신이 나더러
당신 발밑에 앉으라니 나는
그렇게는 못하겠소. 나는
안에 들어가 앉을 거요.

내가 이 말을 마치자 그는 곧장 내게로 오더니 내 뺨을 세차게 후려갈기고 내 팔을 잡아 끌어내리려 했어.
빨리 내리지 못해!
싫소! 내가 왜 내려~?

나는 마부석의 손잡이를 힘껏 붙잡고 손목뼈가 부러지는 한이 있더라도 놓지 않고 버텼지.

승객들은 그 광경을 보고 있었고, 나는 가만히 앉아서 이 모든 고통을 참았어.
퍽
퍽
퍽

그때 한 사람이 나섰지.
그만두게. 그 사람을 때리지 말게. 그 사람은 잘못이 없어.

그러자 그는 기가 좀 죽어서 때리기를 그치더니 마부석 건너편에 앉아 있던 흑인을 바닥에 앉히고는 그 자리에 앉았어.

과연 살아서 목적지까지 갈 수 있을까?
덜컹 덜컹

밤에 '스탠더턴' 이라는 곳에 도착해서 마중 나온 회사 사람들을 만나서야 비로소 나는 안도의 숨을 내쉬었어.

나는 역마차 사장에게 편지를 써서 그동안 일어난 모든 일을 낱낱이 이야기하고, 다음 날은 나도 다른 승객들과 함께 마차 안에 앉을 수 있도록 보장해 달라고 요구했지.
승차 거부
손님 폭행
좌석 보장

사장은 회답을 보내왔어.
어제 그 사람은 내일 그 마차에 타지 않을 것이며, 당신 요구대로 하겠소.

나는 내게 폭행을 했던 그 사람을 고소할 생각은 없었으므로 나에 대한 폭행 사건은 이것으로 마무리 되었어.
고소할 건 아니죠?

다음 날, 나는 역마차의 좋은 자리에 앉아 요하네스버그에 도착했어.
요하네스버그

회사 사람이 마중을 나왔으나 서로 알아보지 못해 나는 택시를 타고 호텔로 갔어.
HOTEL
TAXI

지배인에게 방이 있냐고 물었더니
대단히 미안합니다. 지금 방이 없습니다.

나는 회사를 찾아갔어.
다다 압둘라

회사 사람은 내가 호텔에서 있었던 이야기를 해주자
그래, 호텔에서 받아줄 줄 알았습니까?

안 될 것이 뭐가 있나요?
여기 며칠만 계시면 다 아실 것입니다. 우리니까 이런 곳에 살고 있습니다. 돈을 벌려니 모욕을 참는 것쯤 문제로 삼지 않습니다.

이 나라는 당신 같은 분들에게는 적당하지 않습니다. 내일은 '프리토리아'에 가셔야지요. 3등차로 가야 합니다.
트란스발은 사정이 더 나쁩니다. 여기에서는 1, 2등 차표는 인도인에게는 팔지도 않습니다.

그래서 나는 철도의 규정을 가져오라고 해서 읽어 보았어.

그러고는 역장에게 편지를 보냈지.

나는 변호사이고, 언제나 1등석으로 여행을 하는데 내일 시간이 없기 때문에 차표는 역에 가서 직접 받겠습니다.

이렇게 한 것은 말쑥한 영국 복장을 한 내가 설득하면 1등석 표를 내줄 것이라고 생각했기 때문이야.

나는 금화 한 닢을 테이블 위에
놓으며 1등석 표를 달라고 했어.

난 영국인이 아니고
네덜란드 인이오.
당신을 동정하니
차표를 주지만 만일 차장이
3등칸으로 가라고 하면
나를 끌어들이지 말고,
철도회사를 고소해서도
안 되오. 그냥 3등칸으로
가 주시오.

나는 1등칸에 자리를 잡았어.

차장이 표 검사를 하러 들어와서는
나를 보고 화를 내며 3등칸으로
가라는 손짓을 하더군.

그 칸에는 영국인 승객 한 사람이
있었을 뿐이었어.
같이 가도
상관없소.

당신이 쿨리와 같이 가는 것이
좋다면야 내가 무슨 상관이
있겠소.

이번에는 다행히 쫓겨나지 않았고,
마침내 프리토리아 역에 도착했어.
프리토리아
고맙소.

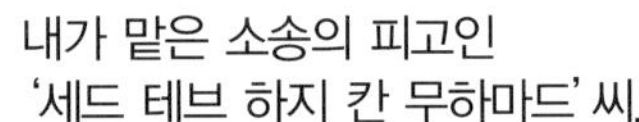
내가 맡은 소송의 피고인
'세드 테브 하지 칸 무하마드' 씨,

휴~
이름 한번
길다~

줄여서 '테브 세드' 씨는 프리토리아에
사는 인도인들의 중심이 되는 사람이었어.
프리토리아

나는 그의 도움을 받아 프리토리아에 사는 인도인들을 불러 모았어.

내가 생각한 첫 번째 단계는 전 인도인의 모임을 열어
작전명령 NO.1

그들에게 자신들의 상황이 어떤 것인지를 보여주는 것이라고 생각했어.
현실직시

나는 이 모임에서 내 일생의 첫 번째 연설을 했어.

나는 이 연설에서 몇 가지 주제에 대해 이야기를 했어.

상인들이 장사를 하면서 진실을 지킬 수 없다는 말을 하지만 사업에서는 진실을 지켜야 합니다. 특히 외국에 와 있는 몇 사람 인도인의 행동이 수백만 동포를 평가하는 기준이 되기 때문에 더욱 그렇습니다.

우리 인도인들의 습관은 영국인과 비교할 때 비위생적이므로 개인이나 단체가 청결을 유지할 필요가 있습니다.

힌두교도, 이슬람교도, 기독교도 사이에 차이를 두지 말고 어느 지역 출신을 가지고도 차별하지 맙시다!

내가 하는 말은 사람들이 처음 들어 본 말이 아니었지만

진심으로 확신에 차서 이야기하는 내 모습을 보고
사람들은 감동을 받은 것 같았어.
완전 감동이야~!!

나는 또 남아프리카에서 사는 인도인들이 당하는 고난에
대해 정부와 이야기할 수 있는 단체를 만들 것을 제안하고,
정부

그것을 위해 내 시간과 노력을 아끼지
않겠다고 약속했어.

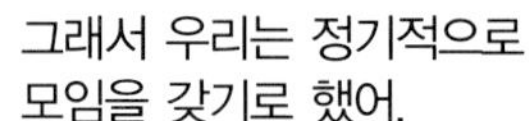
그래서 우리는 정기적으로
모임을 갖기로 했어.

모임 날짜
셋째주
토요일

이 모임에서는 자유롭게 서로의
의견을 이야기했어.
뭐.. 뭔
소리야?!
난 원더걸스보다
소희를 더
좋아 합니다!!

그 결과 프리토리아에서 내가 모르는 인도인이 없게 되었을 뿐 아니라,
휘휘~
유명인사

사람들의 속사정까지 낱낱이
알게 되었어.
혼자 살고 있음.
결혼상대자 필요
입 옆에
점이 있음.
채식주의를 함.
무지 잘생겼음.

나는 그 다음 철도 당국과 교섭을 시작했어.

지금 인도인들은 자유롭게
여행을 할 수 없으며,
인도인이 당하는 고통은
법에도 어긋나는 것이오!
탕
철도

적당한 복장을 갖춘 인도인에게는
1, 2등 차표를 팔겠소.
철도
도대체
적당한 복장이
어떤 거야?

그러나 이것은 진정한 해결책이라고 할 수 없었지.
누굴
바보로
아나?

왜냐하면 어떤 옷이 '적당한 복장' 인가를 결정하는 것은 순전히
역장의 뜻에 달려 있었기 때문이야.
철도
철도

나는 프리토리아에 머무는 동안
프리토리아

트란스발과 오렌지 자유주 안에 있는 인도인들의 상황을
깊이 살펴볼 수 있었어.

나는 이 연구가 미래의 나에게 헤아릴 수 없이
귀중한 공헌을 하리라고는 생각지도 못했어.
인도인 실정
보고서

왜냐하면 소송사건이 끝나면 바로
귀국할 생각이었기 때문이지.
기다려라!
아빠가 간다~!

그러나 하느님의 뜻은
그렇지 않았어.
어딜~!
덕

제7장 간디 바이 - 남아프리카 인도인의 형님

내가 지금 어디에 있는지 알고 있나?
아이고 참! 다다 압둘라 회사의 소송 사건을 맡아서 남아프리카에 오셨잖아요.
남아프리카 중에서도 네덜란드계 백인들이 다스리는 트란스발 주에 어렵게 어렵게 맞아 가면서 가신 24살의 변호사님 아닌가요?

미안해. 네가 지금까지 내 이야기를 잘 듣고 있었다는 걸 잊었군.
헤헤…

내가 맡은 다다 압둘라 회사의 소송 사건은 결코 작은 것이 아니었어.
그…그래도 이건 너무 크잖아~
소송건

사업 거래를 하면서 생겨난 일이었는데 복잡한 계산문제로 가득 차 있었지.
4+8=

내게 맡겨진 일은 변호사를 위해 원고 측의 주장을 준비해주는 것과

음.. 잘 정리되어 있군..

그 주장을 뒷받침할 증거를
정밀하게 조사하는 것이었어.
주장
증
거
물

나는 이 사건을 깊이 조사해 보고는
우리가 이길 것임을 확신하게 되었지.
주장
증
거
물
확
보
증거불충분

그러나 나는 소송을 계속하게 되면
흠..
원고
피고

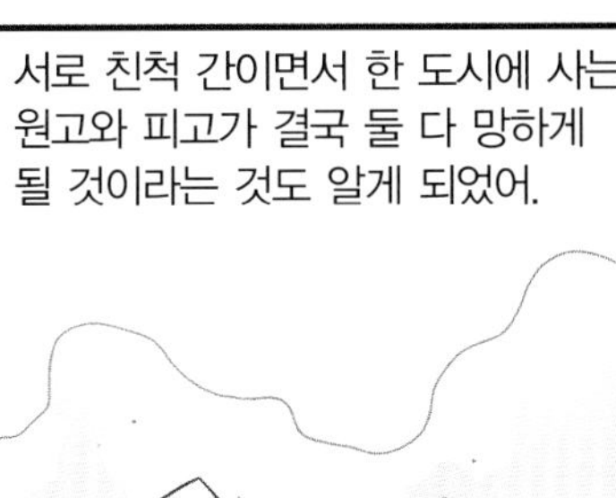
서로 친척 간이면서 한 도시에 사는
원고와 피고가 결국 둘 다 망하게
될 것이라는 것도 알게 되었어.

변호사 비용이 얼마나 늘어나든지, 원고와 피고 둘 다 아주 큰 상인인데도
불구하고 그들의 재산을 다 먹어치울 기세였고,
재산
재산
변호사

둘 사이의 감정은 더욱 더 나빠지더군.
흥!

나는 내 직업에 염증이 났고,
더 이상 참을 수 없었지.
짜야 되는데..
변호사

나의 의무는 양쪽을 화해시켜 손을
잡게 하는 데 있다고 생각했어.

나는 서로를 타협시키는 데 노력을
집중했어.
타협은
무슨…
손잡기
싫어~!!

마침내 중재인이 결정되어 이 사건은 법원에서가 아니라 중재인 앞에서
이야기 되고 나의 의뢰인(원고)이 이기게 되었어.
원고
중재
피고

그러나 나는 그것으로
만족할 수 없었어.
이걸
원한 게
아니거든!

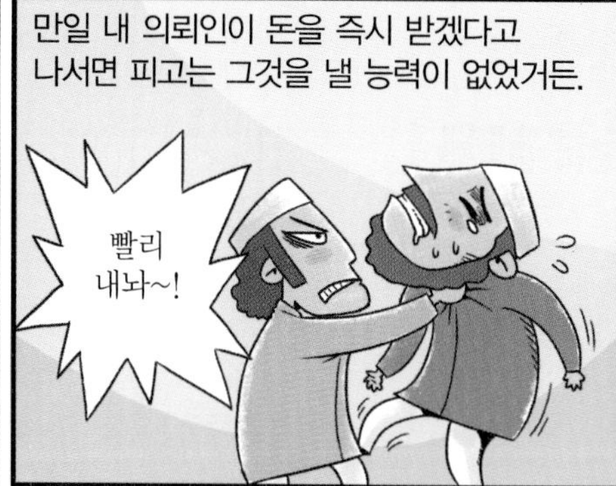
만일 내 의뢰인이 돈을 즉시 받겠다고
나서면 피고는 그것을 낼 능력이 없었거든.
빨리
내놔~!

당시 남아프리카 상인들
사이에는 파산을
하게 되면 아예
자살을 하는
관습이 있었어.
미안하다
파산했다

오직 방법은 하나,
원고가 피고에게
돈을 나누어 낼 수
있도록 허락하는
것이었지.

나의 사건 의뢰인은 그릇이 큰
사람이었기 때문에 나누어
내는 것을 허락했고,
O.K

양쪽은 결과에 만족했어.
나도 무척이나 기뻤고.

나는 이 일로 법을 어떻게 활용해야
하는지를 배울 수 있었고,
법

또 인간의 착한 면을
찾아내는 길과
인간성

사람의 마음속에 들어가는 길도 배웠어.

나는 변호사의 진정한 역할은
서로 갈라선 양쪽을 화합시키는 데
있다는 것을 깨달았어.
화합

이 교훈은 도저히 지워질 수 없는
낙인처럼 각인돼
치이익

이후 20여 년간 나는
변호사로서 수백 건의 사건을
맡아 서로를 화해시키는 데
주력했어.
해결 방안
양쪽
화합
사건

그렇게 해서 내가 손해 본 것은 아무것도 없었어.

돈으로도 그렇고 나의 영혼에도….

소송이 끝나자 나는 남아프리카에 더 이상 머물러 있을 이유가 없어졌어.
주인공들은 원래 사건이 해결되면 떠나거든~

그래서 인도로 돌아가기 위해 처음 도착했던 더반으로 가서 귀국할 준비를 했어.

사람들은 나를 위해 송별회를 열어주었지.
간디 송별식

송별회를 기다리며 거기 있던 신문을 뒤적거리던 나는 우연히 한 귀퉁이에서 '인도인의 선거권' 이라는 기사를 보았어.
인도인선거권

그 내용은 나탈의회에 제출된 법에 대한 것으로 나탈 의원 선거에서 인도인의 선거권을 빼앗아 버리는 것이었지.
선거권
선거권

나와 마찬가지로 거기 모였던 사람들도 그 법안을 몰랐어.

내가 그것에 대해 묻자
어떻게 우리가 그걸 알 수 있겠어요? 우리는 장사밖에 모르는걸요.
혹시 우리가 알고 반대운동을 벌여도 소용이 없습니다. 글자를 하나도 모르니 우리는 모두 눈 뜬 장님이지요.

여기에서 교육을 받은 젊은이들이 많지 않습니까?

그들은 기독교인이기 때문에 백인 목사들의 손에 놀아날 뿐이지요.

갑자기 한 사람이
어떻게 해야 할 것인가를 말씀드릴까요? 타고 가신다는 그 배표를 찢어 버리고 한 달만 머무르세요. 그럼 우리 모두가 당신이 지도하는 대로 싸우겠습니다!

모든 사람들이 한 목소리로 찬성했어.
와아아~

그러자 또 한 사람이 내가 변호사이니, 나의 보수를 어떻게 하면 좋겠느냐고 사람들에게 묻더군.

보수라는 말에 마음이 찔리더군.
켜..

내가 머물러 있어야 한다면 심부름꾼으로 있는 것이고, 여러 사람을 위하는 일에 보수는 있을 수 없습니다.
그러나 우리가 앞으로 하려는 일은 돈이 없이는 할 수 없기 때문에 많은 사람의 도움이 필요합니다.

돈은 들어올 것입니다!
사람도 있습니다!
얼마든지 필요하신 대로 있을 것입니다!
승낙만 해 주신다면 모든 것이 잘 되실 것입니다!

나는 투표권 법안을 반대하기 위한 투쟁의 윤곽을 짰어.
투쟁

그리고 자원자를 모집했지.

모집공고
자격 : 인도인이면 누구나..

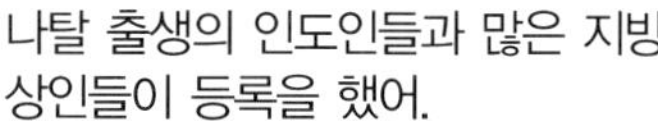
나탈 출생의 인도인들과 많은 지방
상인들이 등록을 했어.

모집
인도인이면
누구나...

그들은 모두 공공의 일에 참여하고
있다는 데에 스스로 놀라면서도
기뻐했지.
법안투쟁

우리는 의회의 의장에게 전보를 쳐서
그 법안의 심의를 연기해 달라고
요청한 후
전보

청원서를 작성하고, 많은 사람의
서명을 받기 시작했지.
서명운동

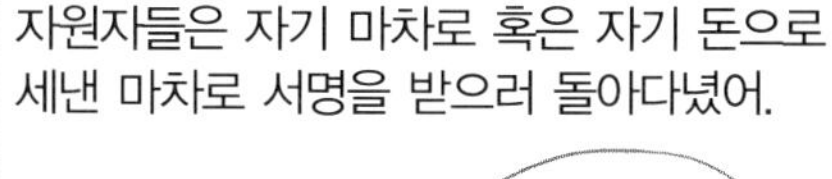
자원자들은 자기 마차로 혹은 자기 돈으로
세낸 마차로 서명을 받으러 돌아다녔어.

자원봉사
한 명이라도
더 서명을….

그 결과 법안은 처음 그대로
통과되고 말았지만,
쩌저적

이 일은 우리 공동체에 새로운
생명을 불어넣어 주었어.
푸~
공동체

나와 공동체는 하나요, 돈을 버는 것과 마찬가지로 정치적 권리를 위해서
싸우는 것도 우리의 의무라는 것을 깨닫게 된 거지.

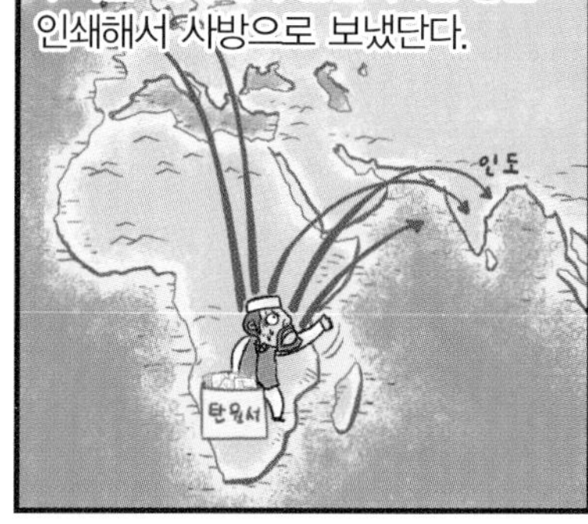
우리는 계속해서 탄원서 1천 통을
인쇄해서 사방으로 보냈단다.
인도
탄원서

내가 아는 모든 신문과
평론가들에게도 보냈지.
신문기자
평론가

인도의 민중들은 처음으로 남아프리카의
사정에 대해 알게 되었고
어..
이럴수가..

영국의 신문 중에는 우리의 요구에 찬성하는 글을 싣기도 했어.
오 옷! 영국에도 우릴 알아주는 사람이 있다니..

그래서 우리는 그 법안이 거부될 수 있다는 희망을 갖기 시작했고,
법

인도 친구들은 나에게 남아프리카에 영원히 남아달라고 간청을 했어.
제발 놓고 얘기해~

나는 이미 공공의 돈으로는 머물지 않기로 결심했지만
대신 조건이..

최소한의 생활을 하기 위해서는 일정한 수입이 보장되어야 했어.
일정수입 보장보험

당시에 생각한 최소한의 생활이란 변호사의 수준에 맞는 좋은 지역의 좋은 집에서 사는 것으로 지금과는 매우 달랐지.
음… 일단 집은 강남 일대에 70평대로 방은 많았으면 좋겠고, 한 3층 정도 되는 집이면 쓸 만하겠는데….

상인들이 그들의 법률 업무를 내게 맡기기로 해서 나탈에 정착하기로 했어.
1년치 의뢰서

남아프리카에서 늘 그랬지만 변호사의 업무는 나에게 첫 번째 중요한 일은 아니었어.

앞서 말했듯이 최소한의 생활수단이었지.

내가 남아프리카에 남아 있는 것은 인도인들을 위한 사업, 즉 '공공사업'에 힘을 다하기 위해서였지.
공공사업

나는 계속적인 시위가 필요하다고 생각했고, 이를 위해서는 조직이 필요하다고 생각해서 '나탈 인도 국민회의'를 조직했어.
나탈 인도 국민회의
휴~ 겨우 만들었네.

당시 인도 국민회의는 인도의 민중들과 함께하는 조직은 아니었지만
인도국민회의
외부인 출입 금지

인도를 대표하는 단체였기 때문에
나는 그 이름을 사용했어.

나탈 인도 국민회의

나는 가난한 사람들과 함께 하고 싶었으나 '나탈 인도 국민회의'는
기술 없는 날품팔이나 계약 노동자들과는 거리가 먼 단체였어.

국민회의
회원카드
있으신 분…?

왜냐하면 그들은 회비를 낼 돈이
없어 '나탈 인도 국민회의'
회원이 될 수 없었기 때문이지.

참 나!
유료 회원가입
이라니…?!

어느 날 한 사람이 찢어진 옷을 걸치고
손에는 터번을 들고 앞니 두 개가 부러진
채로 내 앞에 나타나 벌벌 떨며 울었어.

그가 말하기를 자기의
주인한테 몹시 얻어맞았다는
것이었어.

그는 유명한 유럽인의 밑에서 일하고
있는 계약 노동자 '발라순다람'이라는
사람이었지.

나는 그를 의사에게 보내고 진단서를
끊어서 함께 판사에게 갔지.

진단서
전치 36주
늑골 골절
치아
타박상

판사는 화가 나서 발라순다람의
주인에게 소환장을 보냈지.

너
나와!

계약노동자는 주인의 소유물과 같아서
발라순다람을 놓아주는 데는 오직 두 가지
방법이 있을 뿐이었어.

계약노동자를 관리하는 공무원이 그의 계약기한을 취소하고
그를 다른 사람에게 넘겨주거나, 또는 주인에게 그를 놓아주도록
하는 것이었어.

공무
또깡

나는 발라순다람의 주인을 찾아가서 이렇게 말했지.
나는 당신을 고소하여 벌을 받도록 할 생각이 없습니다. 이제는 당신도 자신의 잘못을 깨달았을 거라고 생각합니다.
그를 다른 사람에게 넘겨주기만 하면 됩니다.
으~

주인은 선뜻 승낙을 했고, 나는 발라순다람에게 새로운 주인을 찾아 주었어.
고맙습니다..

판사는 발라순다람의 주인에게 유죄를 선고하고 그를 새로운 주인에게 넘겨주기로 약속했어.
땅
땅
땅

발라순다람의 사건은 모든 계약 노동자의 귀에 들어가게 되었고 나는 그들의 친구로 알려지게 되었어.
아~
간디?
내 친구야!!

계약노동자들이 끊임없이 내 사무실로 찾아들었어.

나는 그렇게 3년을 남아프리카에서 보내고 6개월 정도 인도에 가 있다가 가족을 데리고 와서 이곳에서 살기로 결정했지.
이렇게 주사위를 사용해서..
남아프리카

또 인도에 가서 남아프리카 인도인에 대해 더 관심을 가지게 하고 싶었어.
남아프리카 인도인 실태.

인도에서 나는 남아프리카 인도인들의 처지를 알리기 위해 '남아프리카 인도인들의 고통'이라는 제목의 작은 책자를 만들었어.
남아프리카 인도인들의 고통
이 책자는 표지가 녹색으로 되어 있어서 '녹색 팸플릿'이라는 이름으로 불리며 많은 사람들에게 알려졌어.

1897년 내가 가족들을 데리고 다시 남아프리카의 더반에 돌아왔을 때 '녹색 팸플릿' 때문에 어려움을 겪어야 했어.

내가 뭘 어쨌다고~!

남아프리카의 영국인들은 내가 인도에서 '녹색 팸플릿'을 퍼뜨려 자신들을 모욕했으며,

이래도 몰라?

많은 인도인들을 데리고 남아프리카에 들어오려 한다고 생각했어.

퍽

그들은 부두 앞에서 시위를 벌이며 내가 내리지 못하도록 했지.

영국을 모독한 간디!
인도로 돌아가라!!

한참만에 가까스로 배에서 내렸지만 나는 사람들에게 둘러싸여 벽돌과 돌멩이, 썩은 계란을 맞았어.

이 사건은 런던에 있는 식민지 담당 장관까지 알게 되어 나를 때린 사람들을 잡아 가두라고 하였으나 나는 공개적으로 이를 거부했어.

STOP

상대방의 미움을 없애려면 마음으로 감화시켜야 하며,

옳지 않은 것을 옳지 않은 것으로 되갚아서는 안 된다고 생각했기 때문이었어.

너도 당해봐라
하아~~~

이 일로 더반에 사는 유럽인들은 자신들의 행동을 부끄럽게 생각하게 되었고,

아! 창피해~
왈왈
왈왈왈~

신문들은 내게 잘못이 없음을 밝혀 주었어.

간디는 잘못이 없습니다.
그는 정말 돌맞을 일 안했삼..

사실 '녹색 팸플릿'의 내용은 내가 남아프리카에서 늘 하던 이야기였고, 나는 우리 가족 외에 다른 인도인들을 데리고 오지 않았지.

얘들아!
조심조심..

그 후, 이 사건이 내가 하는 일을 유리하게 해 주어서 남아프리카 인도인의 단체는 좋은 이미지를 갖게 되었고, 일하기도 쉬워졌어.
이미지 쇄신

30살 때 나는 네덜란드계 보어인이 세운 트란스발 공화국과 영국 사이에 일어난 보어 전쟁에
트란스발 공화국 VS 영국

대영제국의 시민으로서 환자 수송병 의용대를 만들어 전쟁에 참여하기도 했어.

32살에 다시 인도로 돌아왔다가 남아프리카 인도인들의 부름을 받고
간디~~!!

다시 와서 33살부터 46살 때까지 남아프리카에서 살았어.

그때 남아프리카의 인도인들은 나를 '간디 바이'라고 불렀지.
여 바 이~

'마하트마'도 '바푸'도 아닌 정다운 '바이'. '바이'는 '형님'이나 '형제'라는 뜻을 지닌 말이니, 당시 나의 이름은 '간디 바이', 즉 '간디 형님'이었던 셈이지.
오셨습니까? 형님!
간디 형님!

그들이 나를 왜 형님이라고 불렀는지 다음 이야기를 들으면 이해가 될 거야.

남아프리카에서 인도인들을 뭐라고 불렀는지 기억나니?
쿨리요!

그래, 우리는 '쿨리'라는 불쾌한 이름으로 불렸어.
쿨리~♪
윽! 기분 나빠!

'쿨리' 들이 살 수 있는 지역은 '쿨리 구역' 뿐이었지.

끼리끼리 살아야지.. ㅋㅋㅋ
탁

내가 살고 있던 요하네스버그에도 '쿨리 구역' 이 하나 있었어.

쿨리구역

다른 지방의 '쿨리 구역' 은 거주권을 가지고 있었지만 요하네스버그의 '쿨리 구역' 은 99년간의 임대차 계약을 맺고 빌려서 살고 있었어.

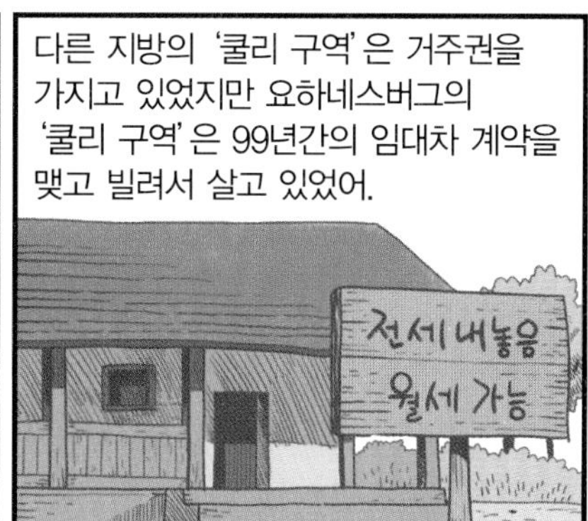
전세 내놓음
월세 가능

그 구역 안에는 사람들이 빽빽이 들어 차 있었지.

인구는 느는데 땅이 넓어지지 않으니….
미.. 밀지마~!

시에서는 주민들을 위한 어떤 위생시설도 제대로 해주지 않았고, 그 지역에 사는 인도인들 역시 가난하고 무지한 사람들이어서 위생(=깨끗함)에 대한 관념이 없어서

위생관리 철저

그 구역은 완전히 더러운 곳이 되어 버렸어.

시당국은 그와 같은 상태를 고치려고 하지 않고 '비위생(=더러움)' 을 이유로 그 구역을 없애버리기로 했어.

시당국
어휴~ 냄새!! 빨리 없애버려!

주민들은 임대차 계약에 따라 99년 동안의 토지 소유권을 가지고 있었으므로 당연히 보상을 받을 권리가 있었어.

보상해!! 보상해!!
시당국

만일 땅을 빌려서 살고 있는 사람이 시가 제의한 보상금을 받아들일 생각이 없다면 재판할 권리도 갖고 있었던 거지.

딸랑 이거?
욱!
시당국

땅을 빌려가지고 있는 사람들의 대부분은 나를 자기네 변호사로 선택했어.

변호사 임명
툭

나는 이 소송에서 돈을 벌려는 생각이 없었으므로,

그럼 비용은 얼마에…?
흠..

재판결과에 상관없이 한 사건당 10파운드의 변호사 비와 그들이 이길 경우 재판부가 판결한 비용으로 만족하겠으며,

비용 제안서

변호사비로 받은 돈의 절반을 가난한 사람들을 위한 병원이나 그와 비슷한 시설을 마련하는 데 보탤 것을 제안했어.

병원

기부금

각종시설마련

사람들은 그 제안을 만족스럽게 생각했지.

Good!

약 70건의 소송 중에 단 한 건을 제외하고 모두 이겼고,

70전
69승
1패

나는 그들의 변호사라기보다 형제가 되었고 그들과 공적으로나 사적으로 슬픔과 고통을 같이 나누었지.

시당국으로부터 쿨리 구역의 소유권을 얻게 된 후에도 인도인들은 그곳을 바로 떠나지 못했어.

쿨리 구역
대체 어디로 가라구?!

시당국이 그들이 살기에 적당한 새 거주지를 찾아 주어야 했는데

장소가 있어야 말이지….

그렇게 해줄 수 없었기 때문에 그들은 그 전보다 더 고통스럽고 불결하게 지내야 했어.

그 무렵 갑자기 흑사병이 퍼졌어.

이 병에 걸리면 피부가 검게 변하면서 죽는다고 해서 붙여진 이름 흑사병은 중세 유럽 인구의 1/3이 사망한 바로 그 병이야.

다행히 흑사병이 발생한 곳은 요하네스버그 교외에 있는 어느 금광이었어.
안전제일
흑사병발생 출입금지.

그 광산의 광부는 대부분 흑인이었지만 인도인 몇 사람이 일을 하고 있었는데 그 중 23명이 갑자기 전염이 되어
흑사병

어느 날 밤 위독한 상태로 쿨리 구역 안에 있는 자기네 숙소로 돌아온 거야.

당시 우리가 발행하고 있던 《인디언 오피니언》* (=인도인들의 의견)이란 잡지의 담당자 한 사람이 그 지역에 있다가 내게 급히 오라는 쪽지를 보냈어.

나는 의사와 함께 곧 그곳으로 달려갔지.

*인디언 오피니언(Indian Opinion) – 간디가 사티아그라하 운동을 설파하기 위해 남아공에서 4개 국어로 발행한 잡지.

그러나 우리 셋 만으로는 스물 세 명의 환자를 감당할 수가 없었어.

나는 곧 내 사무실에 근무하는 인도인 세 명과 함께 환자를 간호했어.

그날 밤은 정말 무서웠지.

나는 많은 환자를 간호해 봤지만 흑사병에 걸린 환자는 처음이었어.
으~

환자들에게 약을
먹이고,

필요한 시중을
들어주고,

환자와 침대를
깨끗이 정돈하고,

청결유지

그들을 격리하는 것이 우리가
할 수 있는 일의 전부였어.

격리수용

내가 기억하기로, 우리는 환자 전원과
더불어 그날 밤을 무사히 넘겼어.

눈부셔!

시에서는 빈 집에 환자를
수용한 것에 대해 감사를
표하더군.

시당국

다음 날 시에서는 빈 창고를 하나 내주면서
환자를 그리 옮기라고 했어.

시당국

그러나 그 창고는 지저분하고 더러웠어.

우리는 그 곳을 청소하고 인도인들의 사무소를 통해
침대 몇 개와 그 밖의 필요한 물건들을 구해와
즉석에서 임시병원을 하나 만들었어.

임시병원

시에서는 간호사 한 명을 보내주었는데
간호의 달인

그녀는 브랜디와 그 밖의 병원 기구를 가지고 왔어.

브랜디란 술의 일종으로 알코올 농도가 40~50% 정도 되기 때문에 응급시 약으로 사용되기도 했어.
푸우~

보통 맥주가 알코올 5%, 소주가 20% 정도 되니 아주 독한 술이지.
Gass
Bolae

간호사는 친절한 부인으로 자기도 환자의 시중을 들겠다고 했으나

우리는 그가 감염되면 안 된다고 생각해서 될수록 환자를 만지지 못하게 했어.

끙끙..

우리는 환자들에게 브랜디를 자주 먹이라는 지시를 받았지.
콸콸

간호사는 우리들까지도 예방으로 그것을 마시라고 했으나
예방차원

우리 중에 어느 누구도 입을 대려 하지 않았어.
양주는 싫어해서..

환자들 중 둘은 살아났고,
지옥인가?
여기가 어디지?

나머지 스물 한 사람은 창고 안에서 죽었어.
부디 성불하시길..

그러는 동안 시에서는
다른 조처를 취해 주었어.

요하네스버그에서 10km 쯤 떨어진 곳에 있는 격리된 병원 부근의
텐트로 살아난 두 환자를 옮기게 하고,

새로운 환자가 생기면 그리로
보내도록 준비해 두었지.

삐뽀 삐뽀
환자이송

그래서 우리는 그 일에서
손을 떼게 되었어.

잘
부탁드립니다~

며칠 안 되어 우리는 그 사람 좋던 간호사가
감염되어 이내 죽었다는 소식을 들었어.

안녕!
몸조심
하세요~

동료들과 나는 환자를
돌보는 일에서 벗어났지만,

전염병
조사반

흑사병 때문에 일어난 일들로
처리할 것이 많이 남아 있었어.

쿨리 구역은 엄중한 경비 아래 놓여
허가 없이는 통행을 못하게 되었어.

쿨리구역통행증
이름:
모한다스
카람찬드 간디

시당국은 나와 내 동료들의 행동을 고맙게 생각했기에 우리들은 자유롭게 그곳을 드나들 수 있었어.
통과!
쿨리구역

시당국은 구역의 전 주민을 철수시켜 요하네스버그에서 22km쯤 떨어진 들판에

천막을 치고 3주일 동안 거기 있게 한 다음,

그 구역을 불태워 버리도록 결정했지.

식량과 그 밖의 필수품을 갖추고 천막 안에 자리를 잡기까지는 시일이 좀 걸렸고,
구호물품

그 동안은 경비를 하지 않으면 안됐어.

사람들은 심한 공포에 사로잡혀 있었으나

내가 줄곧 같이 있는 것이 그들에게 위로가 되었어.
포근하다~
아! 따뜻해~

가난한 사람들은 돈을

땅 속에 묻어 두는 경우가 많았어.
이렇게 하면 아무도 모르겠지?

그들은 은행이 뭔지도 몰랐으니,
뭐여, 저게..?
BANK

그들에게 은행은 있으나 마나 한 것이지.
땅에 묻는 게 최고거든~~

나는 그 돈을 파내게 했고,

내가 그들의 은행이 되었어.
간디은행
직접 찾아가는 고객대만족 써비스!!

돈은 물결처럼 사무소로 흘러들었어.

하지만 어려운 때에 그들에게 일해 준 대가로 돈을 받을 수는 없었어.

안 쓰고 겨우 모은 돈인데 어떻게 대가를 받겠어?

나는 내가 거래하는 은행의 지배인을 잘 알고 있었으므로
BANK

그에게 이 돈을 맡아달라고 했어.

다른 은행들은 수북한 동전을 받으려 하지도 않았어.
후진 동전 반입금지.

은행 직원들이 전염병 지역에서 온 돈을
만지려고 하지 않을까봐 걱정도 했지만
이.. 이걸
어떻게
만져..?

은행의 지배인이 나의 편리를
봐주었던 거지.
OK!

우리는 돈을 모두 소독한
다음 은행으로 보냈어.
치이익

구역주민들은 특별 열차로 새로운 천막촌으로
이동되었고,

나는 날마다 자전거를 타고
그들에게 갔지.
끙 끙

아이고..
힘들다..
헥
헥
후달달

정착한 지 만 하루가 지나지 않아 그들은 모든
불행을 다 잊고 즐겁게 살기 시작했어.

흑사병으로 인해 불쌍한 인도인에 대한 나의 영향력은
증가되었고,
간디!!
간디!!
간디!!

그에 따라서 내 일과 책임도 더 커졌지.

제8장 가정에서의 진리실험

남아프리카에서 했던
공적인 일들에 대해
이야기하기 전에

나의 개인적인 생활에 대해
이야기 하려고 하는데,
어때?

시간상으로
이야기가 좀
왔다 갔다 해서
네가 헷갈리지
않을까
모르겠네.

괜찮아유~
제가 은근히
똑똑한걸요!

지금까지도 저의 진가를
모르셨다니… 살짝
삐침이에요.

허~ 허~ 그렇다면 마음 놓고
이야기를 다시 뒤로 돌려 볼게.

먼저 내가 자식들을 어떻게
교육 시키고자 했는지
이야기할게.
되감기중

1897년 내가 인도에 가서 가족을 데리고
남아프리카에 돌아온 거 기억하니?

나와 내 아내 외에 남편이 죽어 혼자 된 누이의 열 살짜리 아들과
아홉 살짜리, 다섯 살짜리 내 아들 둘이 있었지.

이 아이들을 어디서 교육을
시킬 것인가?

여러 가지 생각이 들더군.

나는 물론 그 애들을 유럽인 아이들이
다니는 학교에 보낼 수 있었지만,
사립초등학교

그것은 일종의 특별대우였기 때문에
그렇게 하고 싶지 않았어.
아빠!
나 저기
갈래!
안돼!!

그곳 말고 인도 아이들을 위해
기독교에서 세운 학교가 있었지만

거기에도 보내고 싶은
마음이 없었어.
삑~~!!

왜냐하면 우리 아이들은 구자라트어를 배워야 하는데

구자라트어가
표준 공용어거든~

그 학교에서는 영어로만 수업을 하거나,

Hi~!!

정확하지 않은 타밀어나 힌디어로 간신히 수업을 하기 때문이었지.

?

그래서 내가 가르쳐 보기도 했으나 너무 바쁘다보니 규칙적으로 할 수가 없었어.

오늘은
바빠서
이만….
앗싸!

별 수 없이 가정교사를 채용해 보았으나

그러니까
이건
음….

도저히 만족스럽지가 않더군.

그래서 조카와 큰 아들을 몇 달 동안 인도에 있는 기숙학교에 보내 보기도 했지만

아이들이 잘 정돈된 가정에서 자연스럽게 받게 되는 교육은 기숙사에서는 절대 얻을 수 없다고 생각하여 곧 다시 불러들였어.

인격
형성
규칙
자주성
태도
역할
분담
자주성
규칙
역할
분담
태도
인격
형성
가정
교육

큰 아들은 나이가 든 다음에 다시 인도에서 고등학교를 다니긴 했지만,

다녀
오겠습니다!

나머지 세 아들은,

둘째
셋째
막내

참, 조카는 젊은 나이에 죽었고,
남아프리카에서 두 아이들이
더 태어나 나의 아이들은
모두 네 명이야.

내가 남아프리카에서 사티아그라하 운동(=비폭력 운동)을 하는
사람들의 자녀들을 위해 열었던 학교를 다닌 것 말고는
간디학교

학교에 다녀본 일이 없었어.

나는 자식들을 위해 많은 시간을 함께
하고 싶었지만 시간도 없었고

그들을 충분히 가르칠 능력도
부족해서
일해야 돼~!!
놀아줘~

원하는 것만큼 그들에게 학문적인
교육을 시키지는 못했어.
벌써 지쳤어??

그 점에 대해 아이들은 모두
내게 불만을 갖고 있었지.
이렇게 면서 학교도 안보내주고..

내 자식들은 언제나 대학 또는
대학원 나온 사람,
대졸
대학원 졸업
움찔

심지어 고등학교 나온 사람만
만나도
저 당당한 걸음
역시 틀려!

학교교육을 받지 못한 것에 대해
열등감을 느끼는 듯했어.
왜 저래?

하지만 만약 내 자식들이 학교에서 교육을 받았다면 부모와의 끊임없는
접촉에서 얻어지는 경험의 교육을 받지 못했을 거야.
귀여운 내 새끼!
윽! 싫어~
아빠털은 따가운 거구나~
탁

또 지금처럼 내가 그들의 일에 대해 아무 걱정도 하지 않고 지낼 수 없었을 것이고,
그만큼 그들을 잘 안단 뜻이지….

오늘날 그들이 생활에서 보여주는 소박함과 봉사의 정신을
고맙네 젊은이..
에이 뭘요~

가르쳐주지도 못했을 것이기 때문에 절대로 후회하지는 않아.
절대 네버!!

큰 아들에게서 볼 수 있는 바람직하지 못한 흔적은
홍야
홍야

내 젊은 시절, 훈련되지 못하고
콸 콸 콸

틀 잡히지 못한 생활의 반영이라고 늘 생각했어.
마하트마 간디가 우리아빠라구~

큰 아들이 가장 감수성이 예민할 시기에 나는 불완전한 지식과 방종의 시기를 지내고 있었지.
남아프리카 에서의 법률일
사티아 그라하 운동
아슈람 건설
아버지… 저 좀 봐주세요….

나에게는 그 시절이 뒷날 이루어진 변화의 밑거름이 되는 가장 빛나는 시절이었지만,
그 시절이 없었으면 지금의 간디는 있을 수 없지.

큰 아들에게는 그렇지 않았던 것이지.
아버지에게 1순위는 가족이 아니라 억압받는 인도인이야~

이쯤에서 간디의 아이들에 대한 설명이 필요한 것 같은데?
스윽

내가 잠시 등장하여 설명을 해 주지. 흠….
통
통

큰 아들 하릴랄은 간디에게 평생 아픈 상처였어.

하릴랄과 간디의 사이는 하릴랄이 10대 후반이었을 때 이미 깨어지고 말았거든.
의절

하릴랄은 간디가 남아프리카에 살 때 그곳을 떠나 인도로 와서
인도

아버지가 반대하는 결혼을 하고,
삐뚤어 질테다. 삐뚤어 질테다. 삐뚤어 질테다. 삐뚤어 질테다~~~

또 이혼을 하고
흥!

재혼을 했어.
계속 삐뚤어 지는 거야.

심지어 아버지의 이름을 팔아서 돈을 빌려 떼먹기도 했어.

내 돈 내놔~!!
우리 아빠한테 받아!!

1924년 간디는 자신이 책임을 맡고 있는 잡지에 아들에게 사기당한 사람의 편지를 싣고,
다음과 같은 글을 덧붙이기도 했다고.

그 아이와 나의 생각이
다르다는 것을 확인한 것은
15년도 넘은 일입니다.
우리는 따로 살고 있고
나는 직접적으로든 간접적으로든
그 아이를 도운 적이 없습니다.
아들이 열여섯 살이 넘으면
친구이자 동등한 사람으로
대접해야 한다는 것이
나의 변함없는 원칙이었습니다.
이 분의 예가 유명한 사람의
이름에 속아 피해를 보는 사람들에게
경고가 되기를 바랍니다.
어떤 사람이 착하다고 해서
그 자식까지 착하란 법은 없습니다.

하릴랄은 이슬람교로 종교를 바꿨고
흥! 다시 힌두교 해봐라~
개종
힌두교
이슬람교

인도 사람들에게 종교를
바꾸는 것이 얼마나 엄청난
일인지는 알고 있지?

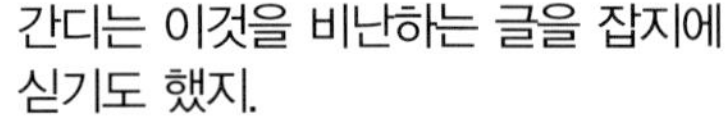
간디는 이것을 비난하는 글을 잡지에
싣기도 했지.

이런
못난 놈!!

하릴랄은 40여 년을 알코올 중독으로
시달리다가 결핵에 걸려
콜록콜록

1948년 간디가 죽은 지
몇 달 후에 죽었다고 해.
정말
불행한
인생을
살았던
사람이야.

간디는 하릴랄이 잘못된 길로 간 것이
자기 탓이라고 생각했지.
비틀
비틀

간디 같은 사람에게도
이런 부분이 있다는
것이 놀랍지?

간디는 《자서전》에서는 큰 아들에 대해
이 정도만 쓰고 있지만,
자서전

다른 잡지 등에 공개적인 글을
쓴 걸 보면

부끄러운 자식을 감추기에 급급한 다른
유명인들과는 확실히 다른 것 같아.
재벌2세
양아치

간디의 아들 4명 중 큰 아들을 제외하고는
모두 아버지의 독립운동을 함께 했다고 해.
인도 독립 만세

저는 다시
퇴장합니다~~
뿅!
펑

사실, 나는 친구들로부터
왜 자식들을
학교에 보내지
않느냐?
자식이 스스로
인생의 길을
선택하겠다는데
왜 네가 막아서
방해 하느냐?

이런 질문을 많이
받았어.
으~
지겨워..

그러나 내 실험의 궁극적인 결과는 미래라는 자궁 속에 있다고 생각해.
미래

나는 부모들의 생활 변화가
자녀들에게 영향을 미치며,
폭력
아빠
폭력성 증가
으르렁~

노예의 쇠사슬을 지고
학문 교육을 받느니

차라리 자유를 위하여 무식한 채로 돌을 깨고
살아가는 편이 훨씬 더 좋다고 생각해.

당시 내 사업은 만족스럽게
발전되어 갔지만
사업

나는 그것으로 만족할 수
없었어.
대박나라!

항상 내 생활을 한층 더 소박하게
해야겠다고 생각했지.
소박

한때 나는 편안하고 세련된 생활도
해 봤지만 그 실험은 오래 가지
못했어.
세련
딱 내 스타일이야.
소박

정성 들여 집을 꾸며 놓았지만
마음이 거기에 있지 못했거든.
마음이 텅 빈 것 같아!

그래서 곧 나는 생활에 들어가는
비용을 줄이기 시작했어.
생활비용

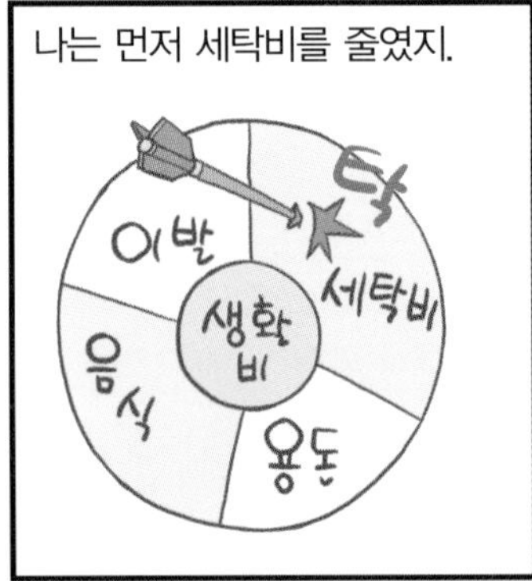
나는 먼저 세탁비를 줄였지.
탁
이발
세탁비
생활비
음식
용돈

변호사의 옷차림은 세탁비가
많이 들었거든.
세탁

세탁업자가 날짜를 어기기 일쑤여서

세탁 맡김.	8 세탁 오는 날 --;; 안왔음	9 세탁 밤늦게 왔음.
	15	16

와이셔츠나 칼라가 20여 개씩
있어도 부족했어.
빨리 좀 갖다 달란 말이야~~!!

그래서 나는 세탁 기구를 장만하고 세탁에 관한 책을 사다가 공부하고 아내에게도 가르쳤지.
여보! 이리 냉큼 오슈!!
혼자 세탁하는 방법

물론 시간이 많이 걸렸지만 호기심과 재미도 있었어.

내 손으로 처음 빨았던 셔츠는 평생 잊을 수가 없군.

풀을 너무 많이 먹인 데다 탈까 봐 다리미를 충분히 뜨겁게 달구지 못해서,
타지않게 조심

칼라가 빳빳하기는 했지만 지나치게 먹인 풀가루가 자꾸만 떨어지더군.

이런 옷을 입고 법정에 나가자 동료 변호사들이 비웃었지.

세탁소에 의존하지 않고 살게 된 것과 똑같이
"나도 할 수 있다!!" 혼자 살림하기 - 실용기술서

나는 이발소에 가는 것도 끊어버렸어.
Bye Bye~

한번은 영국인 이발사에게 간 일이 있었는데, 어찌나 나를 업신여기던지 머리 깎고 싶은 마음이 싹 달아나더군.
다른데 가서 알아보슈!

나는 몹시 불쾌해 곧 이발 기구 한 벌을 사가지고
이발 용품

거울 앞에서 손수 머리를 깎았어.
짤칵
짤칵

그럭저럭 앞머리는 깎을 수 있었는데 뒤는 잘 되지 않았지.
짤칵

그런 채로 법정에 나갔더니 친구들이 법정이 떠나가도록 웃더군.

이런 일들은 '소박한 생활 방식'으로의 씨앗을 뿌린 것 정도였고,
소
박
생활 방식

물질의 소유에 대한 나의 생각은 조금씩 변화하고 있었어.
무소유

그러던 중 〈인디언 오피니언〉 일로 더반으로 가는 기차에서 내 생활을 바꾸어 놓은 책을 읽게 되었어.
오옷~ 바로 이거야!!
치익

1904년부터 1914년까지 간디가 감옥에서 억지로 쉬게 된 것을 제외하고는

간디의 논설을 싣지 않고 발행된 〈인디언 오피니언〉은 한 호도 없었대.
인디언오피니언

간디는 발행인은 아니었으나 사실상 운영의 책임을 지고 있었어.
잡지운영

처음에 그는 이 신문에 투자할 생각은 없었으나

조금 지나지 않아 간디가 돈을 투자하지 않으면 신문을 계속 발행할 수가 없어졌어.
제발 우리 잡지를 살려주시오!!
발행인
넙죽

아예 시작하지 않았으면 모르지만
제발 제발~

일단 시작해 놓고 그만두는 것은 손실인 동시에 불명예스러운 일이라 생각되어
일을 시작했으면 끝을 봐야지….
₩
₩

간디는 계속해서 돈을 신문에 쏟아 넣었어.
촤르르
인디언 오피니언

사실상 자신의 저금을 몽땅
털어 넣은 셈이지.
감사합니다!!

이 신문은 사회를 위해 훌륭한
봉사를 했으며,
오피니언

간디의 남아프리카에서의
비폭력 운동은 아마
〈인디언 오피니언〉 없이는
불가능했을 거야.
난 이만~
펑

당시 내가 살고 있던 요하네스버그에서 더반까지는 스물 네 시간이나
기차를 타야 하는 여행이었기에

친구가 가는 동안 읽으라고
책 한 권을 주고 가더군.
?

그것은 영국의 작가이자
예술가인 '러스킨'이 쓴

《나중에 온 이에게도》라는 책이었어.

나는 이 책을 읽기 시작하자 손에서
놓을 수가 없었어.
내
이상형이야..

나는 그날 밤 잠을 이룰 수 없었고,
내 생활을 그 책의 이상에 따라
변화시키기로 결심했어.

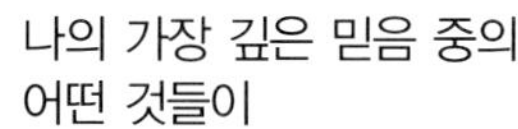
나의 가장 깊은 믿음 중의
어떤 것들이

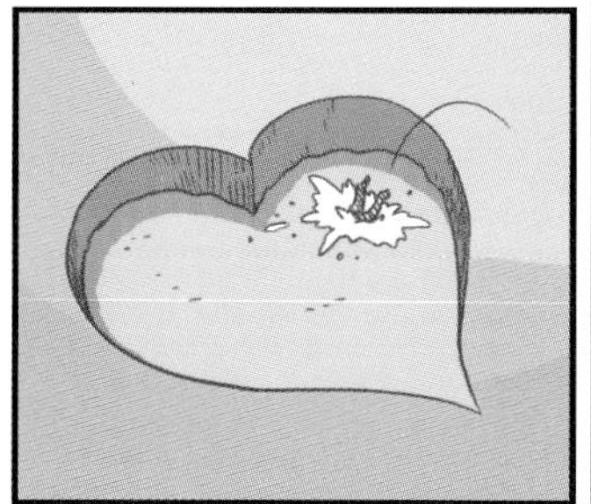

러스킨의 이 위대한 책 속에 반영되어
있는 것을 발견했기 때문이지.

이 책의 교훈을 나는
이렇게 이해했어.

탁

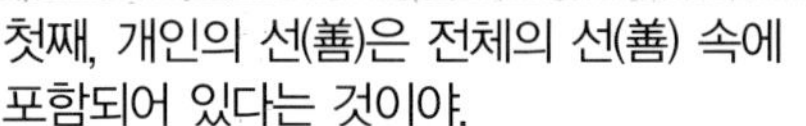
첫째, 개인의 선(善)은 전체의 선(善) 속에
포함되어 있다는 것이야.

善

이 말은 나에게 좋은 것은 나만
좋은 것이어서는 안 되고

같이 먹어야지!!

사회나 이웃과의 삶 속에서
좋아야 한다는 뜻이지.

둘째, 변호사라는 직업도 이발사의
직업과 똑같은 가치를 가진다는
것이야.

같이
'사' 자로
끝나는구만…
변호사
이발사

모든 사람은 똑같이 자기 직업으로
살아가는 데 필요한 것을 벌 권리가
있기 때문이지.

내가
창피해??
직업

셋째, 노동의 생활, 즉 밭을 가는 자의 생활, 손으로 무언가를 만들어내는 자의 생활이 보람 있는
생활이라는 것이야.

새참
먹어요!!

요즘의 한국 사람들은,

남에게
해를 끼치지만
않는다면
나만을 위해
사는 것이
뭐가 나빠?

의사, 변호사, 판사와 같은 '사' 자
직업들과 이발사가 어떻게 똑같이
좋은 직업이야?
맞아!
맞아!
T·REX

공부 안 하면 나중에 커서
막노동이나 해 먹고
살려고 그래?

이렇게 말 한다고
하던데… 너희들도
그렇게 생각하니?
끄덕
끄덕

나와 러스킨의 생각과는 정반대인 셈이지.
파지직
흥!

앞의 3가지 질문에 대해서 무엇이 옳은지 한번 생각해보렴.
생각 좀
혀~!!

나는 러스킨의 생각들을 실천에 옮기기 시작했어.
철도역
피닉스
거의 다
왔습니다~!

더반 교외 철도역 부근의 피닉스라는 곳에 땅을 구해 조그만 마을을 만들기로 했어.
전망이
아주
좋죠?
흠… 여기로
합시다.

그 땅은 원래 조그만 맑은 샘이 있고,
몇 그루의 오렌지 나무와 망고 나무를 비롯한
과일 나무 그리고 낡아빠진 오두막이 있었어.

우리는 그 땅에 곧 함석판으로 집을 짓고, 〈인디언 오피니언〉을 인쇄하며 공동체 생활을 했지.
뉴타운
'아슈람'

피닉스에 정착을 시작한 것은 나였지만,
아슈람

나는 그 곳에 잠깐 동안밖에 있을 수 없어서 늘 유감이었어.
으~
바푸, 도와 주세요~.

나의 본래의 생각은 점차 변호사 직업을 그만두고
인생은 말이야. 계획을 세워야….

피닉스에 살면서, 육체노동으로 나의 생활비를 벌고
하나
둘
셋

피닉스의 안정을 위해 봉사하는 가운데 즐거움을 얻는 것이었지만
봉사
요석들! 가만히 좀 있어!!

그렇게 되지는 않았어.
뜨아~

하지만 계획이 실패했다 하더라도 결말은 절대로 해로운 것이 아니고
바푸~

도리어 기대했던 것보다 더 좋게 되더군.
저 이제 말 잘들어요~

나는 이미 간소한 생활을 하고 있었지만, 러스킨의 교훈에 비추어 내 생활을 더 엄격하게 검토했어.

더 줘여!
더~!!

나는 고등법원의 변호사로서 가능한 한 간소한 생활을 했으나 어느 정도의 가구는 없을 수가 없었어.
양복은 안 입을 수가 없어서….

겉으로 나타난 변화보다는 내적인 변화가 많았어.
마음의 변화

모든 육체노동을 몸소 하고 싶은 마음이 더욱 늘었지.
나도 할래!
나도~!!

그래서 아이들도 그렇게 가르쳤어.
먼저
빵 굽기!

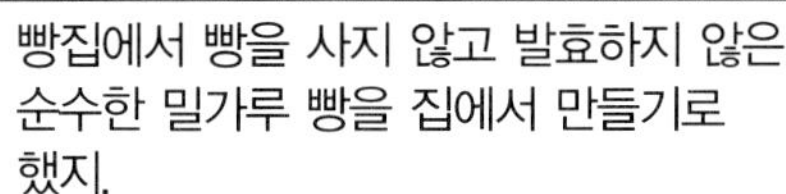
빵집에서 빵을 사지 않고 발효하지 않은 순수한 밀가루 빵을 집에서 만들기로 했지.

보통 파는 밀가루는 입자가 적당하지 않아서
나도 맛있다규~~!
사제 밀가루

손으로 간 것이 간소한 생활에도, 건강과 경제에도 더 나으리라는 생각에 손 제분기를 하나 샀지.
제발 좀 움직여라!

쇠바퀴가 너무 무거워서 혼자서 돌리기는 힘들고 두 사람이 함께 해야 했어.

그 일은 우리 집에 같이 사는 친구와 내가 주로 했지.
밀가루 제분 전문

우리 집에는 늘 여러 친구들이 같이 살고 있었어.

제분기 대기조

제분 일은 아이들에게도 좋은 운동이 되었지.
어때?
재미있지?
네!

집안일을 돌보기 위해 우리는 하인을 하나 두었어.
가사 도우미

그는 가족의 구성원으로 우리와 같이 살았고, 아이들이 그가 하는 일을 도와주곤 했어.

시 청소부가 똥과 오줌을 치워가면 변소 청소는 굳이 하인이 하기를 기다리지 않고 우리 스스로 했지.

이것이 아이들에게는 좋은 교육이 되었어.

그 결과 우리 아이들은 청소부의 일을 싫다고 생각하지 않았고,

일반적인 위생의 습관을 잘 가지게 되었어.
청소 후 꼭 손 씻기!

나는 아이들의 학문교육에 대해 무관심한 건 아니었지만 그것을 희생하는 것을 두려워하지도 않았어.

애들에게 개인 교습을 시킬 별다른 조처를 할 수가 없어서 나는 애들을 데리고 걸어서 사무소까지 갔다 오곤 했어.

그렇게 하면 아이들에게 상당히 운동이 되었고, 걷는 동안 마음 쓸 일이 없으면 많은 대화를 하려 했지.
걷는 건
건강에 아주 좋아!
말도 못 할 정도지.
헥헥….

인도에 떨어져 있던 큰 아들 하릴랄을 제외하고는 내 아이들은 모두 이렇게 가르쳤어.

인도
유학 중

내 아내는 일생 동안 세 번, 병으로 죽을 뻔하다가 살아났어.
여보!

왜요?
아!

그녀가 나은 것은 가정치료법 덕분이었어.
강추!!
치료법의 대명사
장점: 가정에서 누구나 할 수 있음.

아내는 자주 출혈을 했는데
의사 친구가 수술을 권하자,

처음에는 좀 망설이다가
결국 승낙했지.

수술실
출입통제

몸이 매우 약해진
상태였기 때문에
마취제를 쓰지 않고
수술을 했는데

아내는 놀랄 만한 용기로
그것을 견디어냈어.

나는 당시 공적인 일로 아내 곁에 있을 수
없었는데, 수술한 지 며칠 후 친구로부터
편지를 받았어.

우편

아내의 병이
악화되어 일어나
앉지도 못하고
의식을 잃기도
했네.

친구는 내 승낙 없이 아내에게 술이나 쇠고기를
주어서는 안 된다는 것을 알고 있어서

따르릉
따르릉

내게 전화를 걸어 그녀에게 고기즙을 주도록 허락해 달라고
했어.

나는 허락할 수
없네. 하지만 아내가
원한다면
그대로 해주게.

이 일은 환자와 의논할 일이 아니야.
내 처방을 거절한다면
그녀의 생명을 책임질 수 없네.

나는 곧장 기차를 타고 가서
병원으로 달려갔지만

대학병원

이미 아내에게 고기즙을 준
다음이었어.

의사는 좋은 사람이고 개인적으로 친구였지만,

고기즙을 먹이다니….

나는 그것을 용납할 수 없었지.

절대 용서 못해~!!

나는 아내에게 이 일에 대해 물었어.

괜찮아?
꺼억

아내는 너무 쇠약해서 대답할 힘도 없었지만, 간단히 대답했어.

나는 앞으로 고기즙을 먹지 않겠어요. 이 세상에 인간으로 태어나는 것은 소중한 일이에요. 나는 차라리 당신 팔에 안겨 죽을지언정 그런 몹쓸 것으로 내 몸을 더럽히지 않겠어요.

우리는 즉시 그곳을 떠났어.

그녀는 여러 날을 먹지 못해 살가죽과 뼈만 남았지만

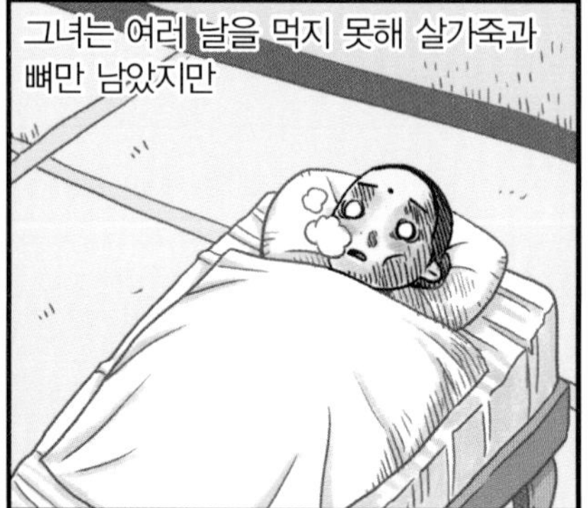

나의 물 치료법으로 서서히 회복되었어.

치료중

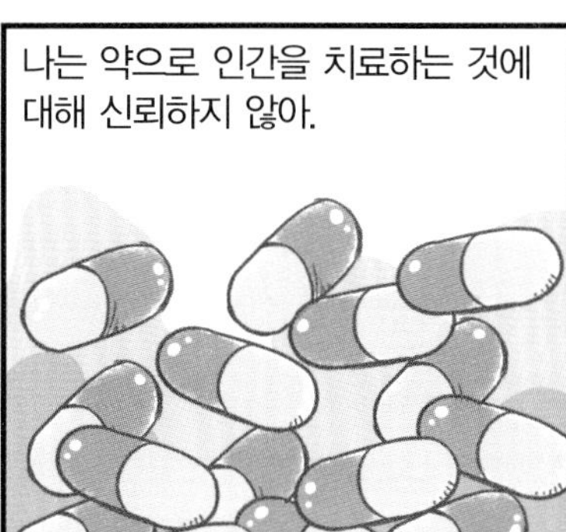
나는 약으로 인간을 치료하는 것에 대해 신뢰하지 않아.

사람은 약을 먹을 필요가 없이 음식조절, 흙, 물 치료 등의 민간요법으로 나을 수 있다고 생각해.
다 나았다!
만세!!

물 치료법은 몸 아래에서부터 허리까지만 뜨거운 물에 담그는 것으로 일종의 '반신욕' 같은 것이고,
에헤라 디야~

흙 치료법은 깨끗한 흙을 찬물로 이겨서 깨끗한 베 헝겊에다 넓게 펴가지고 그것을 배에다 붙이는 것이야.
앗! 차가워~
퍽

이것을 잘 때에 붙이고 밤중이나 아침에 떼어 버리는 것인데,

그 효과가 아주 좋아.
난 배에다 붙였을 뿐이고~
탕 탕

아내의 몸은 서서히 회복되었지만 물 치료만으로는 낫지 않더군.
여보야~!!

또다시 출혈을 하기 시작했네.

나는 아내에게 소금과 콩류를 먹지 말라고 권했어.

하지만 내가 아무리 권위 있는 글을 인용해 충고를 해도 듣지 않더군.
세계적인 콩전문가가 쓴거야~ 이 책!

사실, 고기를 먹지 않는 사람에게
콩도 먹지 말라고 하고,

소금기 없는 음식을 먹지 말라고
하는 것이 어디 쉬운 일이겠는가?
굶어 죽으란
소리냐?

나는 괴로우면서도
한편으로는 기뻤어.
후우~

내가 그녀를 사랑한다는 것을
보여줄 기회가 왔기 때문이지.
내 사랑
받아주

앞으로 1년 동안
나도 소금과 콩을 먹지
않을 거요.

당신이 그렇게 하건
말건 말이오.

제발 용서해 주세요. 당신이
어떤 분인지 아는 내가
당신을 화나게 안 했어도
될 걸 그랬어요.

그런 것들을
안 먹겠다고
약속할게요.
제발 그 맹세만은
거두어 주세요.
그건 정말
못 견디겠어요.

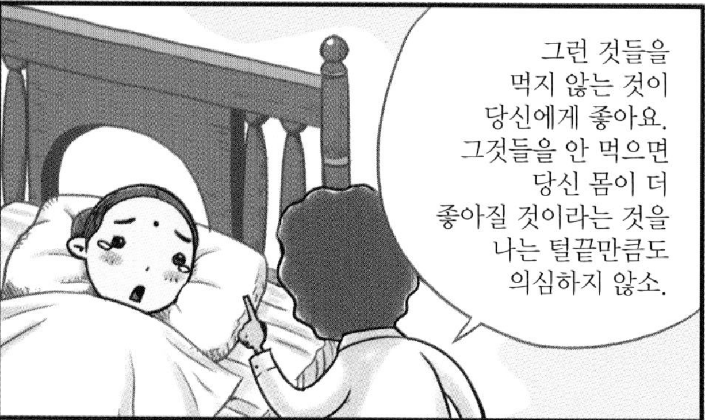
그런 것들을
먹지 않는 것이
당신에게 좋아요.
그것들을 안 먹으면
당신 몸이 더
좋아질 것이라는 것을
나는 털끝만큼도
의심하지 않소.

나는 한번 엄숙히 맹세한 것을
되돌릴 수는 없소.
그리고 그것은
내게도 도움이 될 거요.

왜냐하면 모든 억제는
어떤 이유든 간에 사람에게
좋은 것이기 때문이오.
그러니까 나 하는 대로 내버려두어요.
내게는 그것이 하나의 시련이 될 것이고,
또 당신의 결심을 지키는 데
도움이 될 거요.

이 일이 있은 후, 아내는 빨리
회복되었어.

그것이 소금과 콩을 먹지 않은 식사 때문인지
아니면 다른 어떤 음식의 변화 때문인지,

다른 생활 규칙을 잘 지키도록
내가 엄격한 감시를 해서인지
알 수 없지만
리얼
다큐

아내는 아주 빨리 회복됐고,
출혈도 완전히 멎어서

엉터리 의사로서의 내 명성을
좀 더 높일 수 있었어.
흠흠…
이 정도야 뭐….

나는 이 일을 가정에서의 진리 실험의
한 본보기라고 말하고 싶어.
실험
보고서

그리고 이 일은 내 생애에서 가장
그리운 추억의 하나라고 할 수 있어.

제9장 남아프리카에서 사티아그라하

이젠 내가 남아프리카에서 어떤 공적인 일들을 했는지 들려줄 차례가 된 것 같아.

사실 이 부분에 대해서는 《남아프리카에서의 사티아그라하의 역사》라는 책에서 자세히 썼어.
남아프리카에서의 사티아그라하의 역사

그래서 나의 《자서전》에서는 이 책에서 언급하지 않았던 사실이나
간디의 자서전
VS
남아프리카에서의 사티아그라하의 역사

혹은 아주 간단히 말했던 부분과
중복되지 않게 해야지.

내 생활의 개인적인 사건 몇 가지에 대해서만 썼지.
간디의 자서전
개념이 틀리거든.

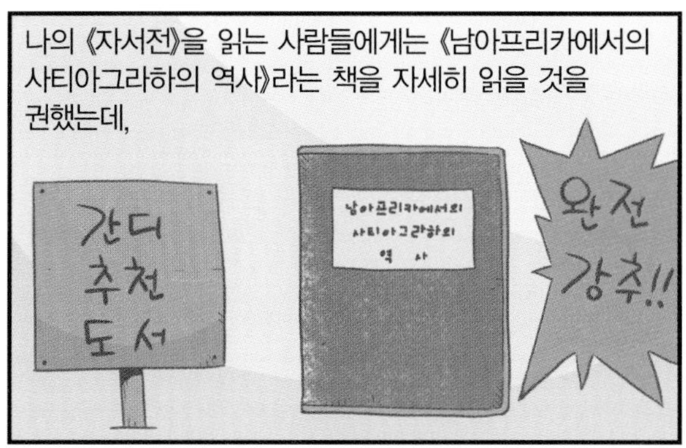
나의 《자서전》을 읽는 사람들에게는 《남아프리카에서의 사티아그라하의 역사》라는 책을 자세히 읽을 것을 권했는데,
간디 추천 도서
남아프리카에서의 사티아그라하의 역사
완전 강추!!

지금 이 만화를 읽는 너희들은 그 책을 구하지도 못할 테니 어떻게 하면 좋겠니?

남아프리카에서의 사티아그라하에 대해 말씀해 주세요!

바푸의 사티아그라하 운동이 남아프리카에서 시작되었다고 하던데….

시작을 알지 못하면 바푸의 다른 사티아그라하 운동도 정확히 이해하지 못할 것 같아요.

그래, 너희 말처럼 남아프리카에서 사티아그라하에 대해 알지 않고는
끄덕
끄덕

나의 진리 실험이야기를 온전히 이해하기는 어려울 터이니
《자서전》에 나와 있지 않은 그 이야기도 들려줄게.
네!

1906년 트란스발 정부는 여덟 살이 넘은 모든 인도인 남녀와 어린이들은 지문을 찍고 등록증을 받아야 하며,
등록증 발급처

등록증을 언제나 가지고 다니면서 보여줄 것을 요구하면 언제든지 제시해야 한다는 법을 발표했어.
땅
땅
땅
법

이 법에 의하면 등록을 하지 않는 모든 인도인들은 트란스발에 살 수 없으며,
트란스발령

벌금형,
아까운 내 돈~!!
금고형*

*금고형 – 감옥에 갇힌다는 점에서 징역형과 비슷하나, 보통 징역형은 감옥에서 일을 하는 것이고 금고형은 일을 하지 않는다.

추방형 등에 처해질 수 있었어.
추방
잠깐 잠깐!
트란스발

우리는 이 법이 트란스발에 사는 10,000명 또는 15,000명의 인도인들에게 모욕을 주려는 계획이며,
켈켈켈
거주 인도인

만일 이 법안이 통과되면 남아프리카의 다른 지역에서도 비슷한 법이 만들어질 것이라고 생각했어.
다다다
탁
트란스발
톡

곧 투쟁이 시작되었지.
땡

트란스발 전 지역에서 무려 약 3천 명의 인도인들이 모였어.

남아프리카에 사는 인도인 3~5명 중 1명은 모인 셈이지.
와글 와글
아무튼 엄청 많이 왔다는 얘기지..

우리는 이 법에 굴복하느니
무릎 꿇어!!
法
흥!

차라리 모든 처벌을 받겠다는 것에 대해 투표를 하게 되었어.
투표실

나는 일어서서 이것의 의미에 대해 말하기 시작했지.

힌두교와 이슬람교에서 각기 부르는 이름은 달라도, 우리 모두 똑같은 신을 믿습니다. 그 신의 이름으로 맹세를 하는 것은 가볍게 볼 일이 아닙니다.

만일 그런 맹세를 했다가 그 맹세를 깨뜨리면 우리는 사람과 신 앞에서 죄를 짓게 됩니다. 모두들 자신의 마음속을 들여다 보아야 합니다. 마음의 목소리가 자신에게 끝까지 버티는 데 필요한 힘이 있다고 이야기해 주면 그때에만 맹세를 해야 하고, 그때에만 그 맹세가 열매를 맺을 수 있습니다.

우리는 감옥에 갈 수도 있고,
굶주릴 수도 있고, 극심한 더위나
추위로 고생을 할 수도
있습니다. 감옥에서 채찍질을
당할 수도 있습니다.
심한 벌금을 물거나, 적은 수의
저항자들만 남았을 때 우리 재산을
뺏길 수도 있습니다.

오늘은 부자이지만 내일은 비참한 가난에
시달릴 수도 있습니다.
폭풍과 억압 때문에 우리 가운데 많은 사람들이
쓰러진다면 투쟁은 시간을
오래 끌게 될 것입니다. 그러나 나는 대담하게
확신을 가지고 말할 수 있습니다.

비록 한줌의
사람들이라도
자신의 맹세를
끝까지
지키기만 한다면
이 투쟁에는
한 가지 결과밖에
있을 수 없으며
그것은
승리입니다!

나의 말이 끝나자 사람들은 '지문 등록을 거부하는 맹세'를 했어.
끝까지
거부하겠소!
나도 하겠소! 나도!!

나는 이때 진정한 우리의 운동을 설명할
새로운 이름이 필요하다고 생각했지만
끄응~
뭐가
좋을까?

아무리 해도 새 이름을
발견해 낼 수가 없더군.
이름아!
어디있니~?

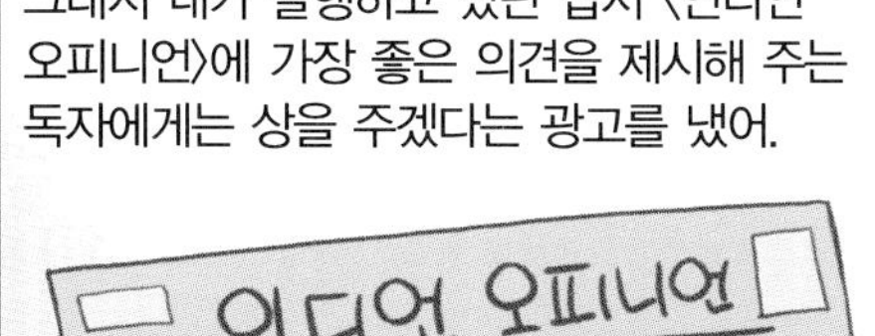
그래서 내가 발행하고 있던 잡지 〈인디언
오피니언〉에 가장 좋은 의견을 제시해 주는
독자에게는 상을 주겠다는 광고를 냈어.

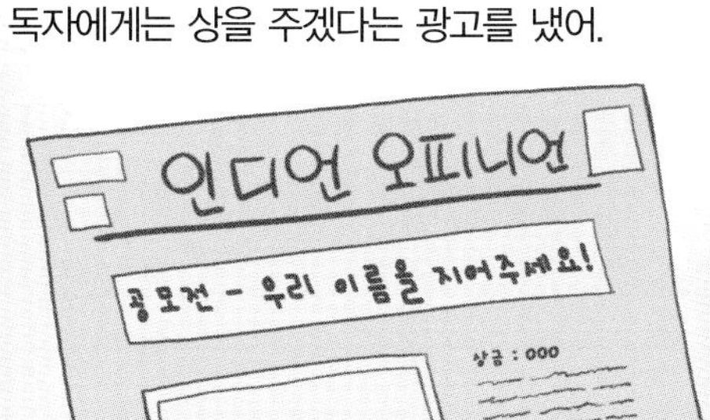
인디언 오피니언
공모전 - 우리 이름을 지어주세요!
상금 : 000

그 결과 진리와 확고함을 합친
'사다그라하' 라는 말이 상을
타게 되었지.

사다그라하
감사합니다

나는 그 뜻을 분명하게 하기 위해
사티아(=진리)와 아그라하(=힘)를 합쳐
진리
힘
치익

'사티아그라하 = 진리의 힘' 로 고쳤어.
진리의 힘

그래서 그 후 이 말은 진리의 힘을 통한 '비폭력 저항 운동' 또는 '시민 불복종 운동' 이라는 뜻을 지닌 우리 투쟁의 이름으로 사용되었어.

사티아그라하

이 투쟁의 역사는 실제적으로
남아프리카에서의 나의
남은 생애의 역사요.
사티아그라하

특히 남아프리카에서 행한 나의
진리 실험의 역사라고 할 수 있어.

우리는 이 법을 막기 위해 법이 인정하는
모든 방법을 총동원하기로 결정했어.
정부
진정서
청원서

정부에 진정서와 청원서를
보내고,
정부
진정서
청원서

대표단이 식민지 장관을 방문했지.

장관은 대표단의 제안을 고려해 보겠다고
공식적으로 대답했으나,

그 법은 거의 원래대로 통과되고 말았어.
법
고려해본다고
했지,
한다고는
안했거든~

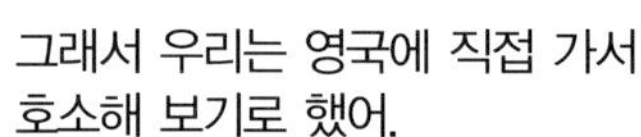
그래서 우리는 영국에 직접 가서
호소해 보기로 했어.

영국

왜냐하면 트란스발은 영국이
직접 다스리는 식민지였기
때문에
트란스발

법을 바꾸기 위해서는 영국 왕의
동의를 받아야 하기 때문이었지.
흥!
누가
해준대?!

다행히 '식민지 담당 국무장관'은
난
전 세계에
있는 영국의
식민지를
담당하고
있지.

'지문 등록법'을 시행하지
않겠다는 약속을 해주었어.
간디
장관

그러나 내가 영국에서
남아프리카에 돌아왔을 때
탁

영국의 식민지 담당 국무장관이
'잔꾀'를 썼다는 것을 알게 되었어.
크크크..

식민지 담당 국무장관은 트란스발
정부에게 영국은 '지문 등록법'을
허가 하지 않을 것이라고 통보했지만,
정말이라구~

이것은 하나의 쇼에 지나지
않았던 것이었어.
짜고 치는
고스톱이지~
또
당하는 거야?
흠흠

왜냐하면 1907년 1월 1일자로 트란스발은
영국이 직접 다스리는 식민지에서 벗어나
트란스발

왕의 동의 없이도 법률을
제정할 수 있었기 때문이었지.
독립 정부 만세!!
트란스발

1907년 독립정부가 되자
트란스발의 식민지 장관
'스뫼츠 장군'은

몇 달 전 영국 정부가 승인하지
않은 법과 똑같은 법을 통과시켜
버렸어.
딸칵
지문등록법통과

트란스발의 모든 인도인은 이 법에 따라
등록을 하지 않으면 안 되게 되었지.
망연자실

우리는 새로운 법률을 '검은 법'이라고
비판하면서 등록 거부 운동을 벌였어.

에이!
드러워~
퉤!
퉤!
지문
등록법

트란스발 정부는 등록 관리들이
돌아다니기도 하고,
관리
관리

등록 기간을 여러 번 연장하기도
했지만
사은품
증정!!
관리
사은품

나는 등록을 거부한 죄로 결국
체포되었어.

그때, 처음으로 감옥에 갔지.
이렇게
생겼구나!

감옥은 매우 더럽고
형편없었지만

나는 다른 것에 관심을 빼앗기지 않고
오랜 시간 독서에만 집중할 수 있어서
매우 만족스러웠어.

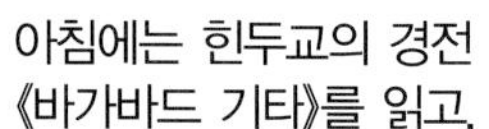
아침에는 힌두교의 경전
《바가바드 기타》를 읽고,

오후에는 영어로 번역된 이슬람교
경전 《코란》을 읽고

저녁에는 중국인 기독교도에게
《성경》을 읽어 주었어.

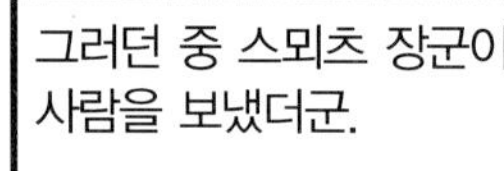
그러던 중 스뫼츠 장군이
사람을 보냈더군.

서신

많은 인도인들이
자발적으로
등록을 하면
정부는 검은 법을
폐지하겠소.

스뫼츠 장군의 제안은 여러 가지
문제가 있었지만 나는 그를 믿고
제안을 받아들였어.
음... 좀
꺼림칙
하지만..
수락

감옥에서 나온 후 나는 사람들에게
자발적으로 등록을 하도록 설득했네.
날
믿어주
세요~!!

몇몇 사람들은 내가 1만 5천
파운드에 '스뫼츠 장군'에게
넘어갔다고 비난하더군.

우릴
팔아넘겨?!

또 어떤 사람은 나를 죽이려고까지 했어.

퍽

나를 걷어차고 두들겨 패서 정신을 잃게 만들어

바푸~

상처를 바늘로 꿰매야 했거든.

그래도 나는 제일 먼저 등록을 했어.

지문
등록처

하지만 스뫼츠 장군은 법을 폐지하지 않았어.

내가
그랬던가?

우리는 다시 투쟁에 들어갔지.

그 말을
믿은 내가
잘못이지!
꽉
사티아그라하

2천 장의 등록증을 다리가 셋 달린 거대한 아프리카 솥 안에 쌓고 태웠어.

이 사건은 런던의 신문에 보도되었고,

나를 죽이려 했던 사람은 공개적으로 사과를 했지.

등록증을 태워버려서 우리 인도인은
등록증이 없는 사람들이 되었기 때문에
등록증 내놔!

어떤 사람은 국경을 넘다가
어딜!!

어떤 사람은 행상을 하다가
체포당했어.

나 역시 등록증을 제시하지 못하고 지문 찍는 것을
거부해서 또 다시 체포당해 3개월 징역형을 살았어.
땅
땅 땅

두 번째
감옥살이인
셈이지.

나는 평생에 걸쳐 인도의 감옥에서
2089일을 살았고, 남아프리카의
감옥에서 249일을 살았어.
인도
2089
남아프리카
249

78년을 사는 동안 6년 넘는 시간을
감옥에서 지낸 것인데,

감옥
평생 회원권

길다면 길고 짧다면 짧은
세월이지.
수고~

풀려난 뒤 나는 다시 영국으로 갔어.

인도인들의 처지를 직접 호소하기
위해서였지만 이번 역시 큰 성과는
없었어.
내 말 좀
들어줘~!!

남아프리카에 돌아온 나는 변호사 일을
완전히 그만두고
변호사 자격증

사티아그라하 운동을 계속 밀고
나가고 싶었어.
사티아
그라하

그러나 변호사 일을 그만 두면 나에게는 수입이 없을 뿐더러

삐약 밥줘~ 삐약

사티아그라하 협회의 돈도 줄어들고 있어서 걱정이 되더군.

배고파~
협회
모금함

가장이 감옥에 갇혀 있는 동안 가족이 살아갈 수 있는 돈도 주지 못하면서

계속 감옥에 가는 것을 선택할 수는 없지 않겠니?

그때 놀랍도록 기쁜 소식이 전해졌지.

Surprise

어느 기업가가 트란스발의 사티아그라하 운동을 위해 거금을 기부해주었어.

묻지마
기부천사
기부금

사티아그라하 운동으로 투옥된 사람들의 가족들이 살 곳이 필요한 시점에 큰 돈을 기부받았으니 얼마나 기뻤겠니?

돈이
최고야..

이 외에도 여러 곳에서 기부가 이어졌어.

또 부유한 내 친구 칼렌바흐는

요하네스버그에서 30Km 떨어진 곳의 농장을 사서 내가 제2의 공동체를 세울 수 있도록 무료로 빌려주었어.

무상임대

우리는 이 정착지를 나에게
깊은 영향을 준 러시아의 작가
톨스토이의 이름을 빌려

'톨스토이 농장'이라고 불렀지.

톨스토이농장

나와 내 가족들도 톨스토이 농장으로
이사를 했어.

농장 주민은 젊은이 40명, 어른 남자 3명, 여자 5명,
아이들 20~30명으로 구성되어 있었어.

이 숫자는 사람들이 사티아그라하로 체포되거나
다른 이유 등으로 바뀌게 됐어.

우리는 이곳에서 직접 곡식을 기르고,

밀을 갈았고,

읏샤
읏샤

평소의 나의 신념대로
극히 간소하게 생활했어.

오늘 반찬은
옥수수로
해야지..
꿀꺽

음식은 철저하게 채식을 했지.

아침은 6시에 빵과 '밀로 만든 커피'

Coffee
&

점심은 11시에 쌀, 콩, 야채.

저녁은 6시 반에 밀가루 죽과 우유 또는 빵과 커피였어.
앗! 뜨거~~

음식은 감옥에서 죄수들에게 주는 사발에 담아 주었고, 숟가락은 농장에서 나무로 만든 것이었지.
뭘 봐?!

저녁 식사 뒤에는 기도문을 읽고, 찬송을 부르고,

9시에는 모두 잠자리에 들었어.

톨스토이 농장은 하나의 가족이요, 그 안에서는 내가 아버지 지위를 가지고 있었기 때문에
바푸~
바푸~

가능한 한 농장에 사는 아이들의 교육을 내가 책임져야 한다고 생각했어.
음.. 어떻게 하지?

그래서 나는 그들의 아버지로서 하루 24시간을 그들과 같이 살아가기로 결정했지.
교육방침
24시간
환경감시

그들은 각각 다른 조건과 환경 속에서 자라났지만 성격 형성이 교육의 중요한 기초이기 때문에

성격 형성에 아이들이 자라나는 환경은 완전 중요하다구.

그 기초만 튼튼히 쌓아 놓는다면
그렇지! 잘한다~
기초 공사

그 외의 모든 것은 아이들 자신이 하거나
응용력 발달
척

친구의 도움으로도 할 수 있다고 확신했기 때문이야.
완성

이를 위해 나는 아이들에게 찬송을 따라 부르게 하고,

찬송가

도덕 훈련에 관한 책을 골라 읽어 주기도 했어.

그러나 그것으로 도저히 만족할 수 없더군,

아직 멀었어?

정신훈련은 책을 통해서 될 수 없다는 것을 깨달았어.

정신통일!!
안 된다니까~

신체의 훈련은 직접 신체를 단련해야 하고

호이짜!
신체단련

지식의 습득은 실습과 실험을 통해서 되는 것과 같이

먹어봐야 맛을 알지!
지식

정신의 훈련도 직접 보고 배워야만 한다는 것을 깨달았기 때문이지.

손은 반대로!

나는 내가 아이들의 모범이 되지 않으면 안 된다고 생각했어.

정신통일
자식은 부모의 거울이야!

그러다 보니 자연히 아이들이 나의 선생님이 되었지.

선생님!

나는 그들을 위해서라도 반드시 착한 사람이 되어야 하고,

바푸~

올바르게 살아야 한다는 것을 배웠어.

아자! 아자!

내가 톨스토이 농장에 있으면서 갈수록 더한 단련과 절제를 한 것은 바로 그 아이들 때문이었던 거지.

절제의 주원인

아이들의 신체 단련은 일상의 일에서 얻었어.
헛둘!
헛둘!

농장에는 하인이 없었으므로 요리에서 청소에 이르기까지 모든 일을 가족끼리 했어.

과일 나무가 많았으므로 그것도 돌보아야 했고,

정원도 손질해야 했어.

아이들은 구덩이 파는 일,

나무 베는 일,

짐 나르는 일을 했고,

그것은 그들에게 충분한 운동이 되었지.
털썩

그 외에 구두 만드는 법,

요리하는 법,
화르르

종교, 지리, 역사, 산수 등을 가르치기도 했어.

오늘은

종교

지리

역사

산수

1910년
남아프리카 4개의 주는
영국연방의 하나로
'남아프리카 연방' 이
되었어.

남아프리카 연방은 1961년 영국으로부터 독립하여
남아프리카 공화국이 됐지.
남아
공화국
독립
만세
~~!!

남아프리카 연방은
'남아프리카 공화국' 의
옛날 이름이야.

남아프리카 연방의 국무장관이
된 스뫼츠 장군은
아아~
마이크
테스트…
하나, 둘…

인도인들에게 매년 거두어 들이는
3파운드의 세금을 폐지하지 않을 것이라고
발표했어.
내 말이
곧 법이거든~

더구나 1913년 남아프리카 연방 대법원은 이민 온 이슬람교도
남편과 결합하려는 어느 여인이 낸 재판에서

'기독교 의식에 따라 이루어지고 결혼 등록관이 기록한 결혼만이 인정된다.'는 판결을 했어.

즉 남아프리카 연방에서는 기독교식 결혼만이 인정된다는 것이지.

?

이 법에 의하면 힌두교, 이슬람교 등 다른 종교의 결혼은 인정되지 않기 때문에

다른 종교
기독교
툭

힌두교, 이슬람교도들의 여인들은 순식간에 첩이 되어 버린 셈이지.

난 정식부인이 되고 싶다규~!!

이 법으로 인해 여자들까지 사티아그라하에 참가하기 시작했어.

행진할 사람 모두 모여라~

내 아내를 포함한 여자들은 증명서 없이 이 지역에서 저 지역으로 행진을 했어.

이들은 추방당하기도 하고, 감옥에 끌려가기도 했지만,

추방당하면 다시 국경을 넘어 행진을 계속하며 광산의 광부들에게 가서

국경

연방이지만
4개의 주로
나누어져 있어서
국경이 있었지.

3파운드의 인두세와 기독교식의 결혼만을 인정하는 법을 폐지하기 위한 파업을 벌일 것을 촉구했어.

여기서 잠깐!
3파운드의 인두세가
무엇일까?
펑

사람 인(人), 머리 두(頭), 세금 할 때 세(稅),
人 頭 稅

즉 사람 머리 하나당 매겨지는 세금이라는 뜻이지.
돈에 환장하지 않고서야..

보통 세금은 세금을 낼 능력이 있는 사람에게 매겨지는 것인데
경기 침체
저소득층 세금감면

인두세는 모든 사람이 똑같이
내야 하는 것이란 말씀이지!

남아프리카에서 3파운드 인두세는 역사가 매우 오래되었어.
남아프리카 역사
인두세

1860년 유럽인들은 남아프리카에서 사탕수수 재배가 매우 이익이 된다는 것을 알았지.
흙이 딱 사탕수수
스타일인데…!

그러나 남아프리카의 원주민들(=흑인)은 사탕수수 재배에 적당하지 않았어.
너무 게을러~

그래서 인도 정부와 교섭하여 인도 노동자들을 모집했어.
남아프리카 인력 모집중

이때 인도인들은 5년간 계약 노동자로 일한 후
계약

계약 기간이 끝나면 자유롭게 땅을 소유할 수 있었어.
내땅
계약

인도인들을 많이 모으기 위해 그렇게 한 것이지.

그러나 인도인들은 유럽인들이 기대했던 것보다 훨씬 일을 잘했어.
+α
농업

게다가 농업뿐만 아니라 상업에도 손을 대서 큰 사업가가 되기도 했지.
무역 대박

깜짝 놀란 것은 백인 무역상들이었어.
우리랑 경쟁자 라니?

유럽인들은 인도인들이 무역에서 자신의 경쟁자가 되는 것을 참을 수 없었지.
말도 안돼!!
으ㅎㅎㅎㅎ

거기에다 백인들과 다른 인도인의 생활양식과 종교까지 문제가 돼서
윽! 냄새! 좀 씻고 다니지..
여기서 생활양식은 예를 들어 검소한 버릇, 건강과 위생에 대한 무관심을 얘기하지.

백인들의 인도인에 대한 미움은 점점 커져갔지.
도저히 못 참아~!

그래서 백인들은 이 같은 법을 만들었다고 해.

첫째, 인도인 계약노동자들은 계약 기간이 끝나면 인도로 돌아갈 것.

둘째, 2년마다 계약을 다시 하고, 계약을 다시 할 때마다 계약금을 올릴 것.

셋째, 인도로 돌아가기를 거절하거나 계약을 다시 할 것을 거절하면 매년 25파운드의 세금을 낼 것.

25파운드의 세금은 간디가 이끄는 나탈 국민회의의 노력으로
인두세
나탈 국민회의

3파운드로 감소되었지만
3파운드
인두세

1913년 당시까지도 남아 있었지.

인두세법을 폐지하라!
폐지하라!!

그러면 3파운드가 어느 정도 되는 액수일까?
꾹꾹
인두세

당시 남아프리카 인도인의 평균 월수입이 14실링 정도 되었대.

월급 탔다!

1실링이 1/20파운드 정도 되니 3파운드면 60실링.

1실링 = 1/20 파운드
3 x 20 = 60 실링
(파운드)
60 ÷ 14 ≒ 4달
실링

3파운드면 보통 인도인의 4달치 월급이 되는 셈이지.

띵~

한 가족이 남편, 아내, 두 자녀 정도 되니

가족(4인 기준)
두당 3파운드
4 x 3 = 12 (파운드)
(인) (파운드)

일 년에 12파운드 정도를 인두세로 바쳐야 한다면 너무 끔찍하지 않겠어?

우린 뭐 먹고 살라구~!!

광부들이 사티아그라하에 참여하자

사티아그라하

광산의 주인들은 파업하는 광부 숙소의 전기와 수도를 끊어 버렸어.

본 때를 보여줘야지!

어떤 사람들은 두들겨 맞기도 했지만

먼지나도록 패~!!
퍽

사티아그라하에 참여하는 사람은 줄어들지 않았어.

와글
와글

1913년 10월 28일 나는 남자 2037명, 여자 127명, 어린이 57명과 함께 행진을 시작했지.
우리는 빵과 설탕으로 빈약한 식사를 하며 하늘을 지붕 삼아 잠을 자며 행진을 계속했지.

11월 9일 나는 행렬의 맨 앞에서 체포되어 감옥에 갔어.

사람들은 톨스토이 농장 쪽으로 행진을 계속하다 경찰에 의해 특수 열차에 실려 광산으로 보내져 버렸어.
광 산

광산에서 일하는 것은 일종의 징역형인 셈이었어.

이 소식이 전해지자 많은 인도 노동자들이 파업에 들어갔고,

헌병들이 진압에 나서 몇 명이 죽고 부상을 당했어.
콰앙
진압
퍽 퍽

오래지 않아 수만 명의 계약 노동자들이 파업에 나섰고, 자유로운 인도인 수천 명이 감옥에 갇혔어.
바글
바글

우리의 비폭력 저항운동은 인도와 유럽에서 뜨거운 화제가 되었지.
So Hot

어쩔 수 없게 된 남아프리카 연방 정부는 나를 무조건 석방했지.
감옥
석방!!

그리고 1914년 6월 스뫼츠 장군과 나는

'비 기독교식의 결혼을 인정하고, 3파운드의 세금을 폐지한다.' 는 새 법률에 합의했어.
새 법안 합의
간디

남아프리카에서 사티아그라하 투쟁이 승리를 거두는 순간이었어.
Oh! God~

그후 나는 남아프리카를 떠나 인도로 돌아가게 되었어.
인도

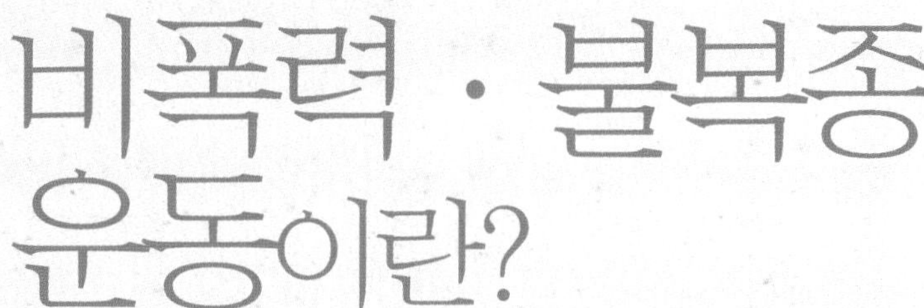

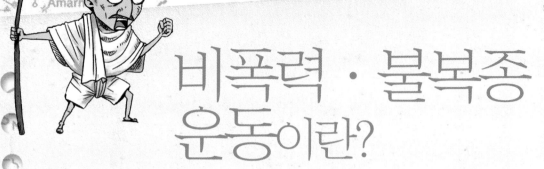

비폭력 · 불복종 운동이란?

비폭력주의는 폭력을 사용하지 않고 부정, 압제 폭력에 저항하는 사상으로 평화주의의 한 형태이고, 불복종운동은 잘못된 것에 복종하지 않고, 자신이 불이익을 당함으로써 정부의 정책을 고치려는 운동입니다.

비폭력주의는 원래 인도의 종교 자이나교의 아힘사 즉 불살생不殺生의 계율에서 나온 것으로, 살아 있는 생명에게 해를 끼치지 않는다는 것입니다. 간디는 힌두교도이지만 자이나교의 영향도 많이 받으며 성장했기 때문에 아힘사의 계율은 간디의 사상에 중요한 바탕이 되었습니다. 여기에 러시아의 작가 '톨스토이'와 미국의 사상가 '헨리 소로'의 영향을 받아 그는 비폭력 · 불복종운동인 '사티아그라하 운동'이 그의 인도 독립운동 방법의 핵심이 되었답니다.

간디에게 물레는 또 하나의 사티아그라하이다. 영국에서 생산된 천으로 된 옷을 입지 않고 스스로 만들어 입는 것은 또 다른 의미의 비폭력 · 불복종이기 때문이다.

간디의 비폭력 · 불복종운동 정신은 이후 많은 사람에게 영향을 끼쳤습니다. 미국의 흑인 인권 운동가인 '마틴 루터 킹'은 흑인에 대한 차별을 없애고, 흑인이 백인과 동등한 권리를 가질 수 있도록 하기 위해 비폭력 저항운동을 전개하였습니다. 우리나라의 '촛불 시위', 세 걸음 걷고 한 번 절하며 행진을 하는 '삼보일배' 등도 대표적인 비폭력 · 불복종 운동이라고 할 수 있습니다.

간디의 사티아그라하는 이후 미국에서 마틴 루터 킹 목사(왼쪽)에 의해 미국에서 흑인 인권운동의 방법으로 되살아났다. 오른쪽은 말콤X.

사티아그라하

제10장 인디고의 얼룩 - 인도의 민중과 만나다

1915년 1월 나는 인도로 돌아왔어.
22년 만의 귀국이었지.

남아프리카에서의 사티아그라하 운동으로 내 이름은
인도에까지 알려져서
간디!
간디!!

어떤 사람들은 내가 인도에서도 사티아그라하를 할 것인가
묻기도 하더군.
당연히
하실 거죠?

그러나 내가 늘 존경해오던 고칼레가,
경험을 얻기 위해 1년 동안 인도 각지를 여행할 것이며,
그 기간이 지날 때까지는 사회적 문제에 대해 의견을 발표하지 말게나.
네! 알겠습니다.

고칼레는 인도 국민회의의 가장 영향력 있고 존경받는 사람 중에 한 분이었지.

그는 조용하고 생각이 깊은 학자로
또 생각에 빠지셨다~
zzz..

온건한 방법으로 인도의 자유를 얻을 수 있다고 생각하시는 분이었어.
인도는 자유다!!

그는 나에게 마치 갠지스 강 같았어.

갠지스 강에서는 누구나 목욕을 하고 그 위에 보트를 띄우고 노를 저으며 즐겁게 놀 수 있는 것처럼 말이야.

나는 고칼레를 존경했기에 그의 가르침을 소중하게 받아들였어.

남아프리카에서 사티아그라하를 하는 동안 나는 내 옷차림을 계약 노동자들과 어울리도록 변화시켰기 때문에
After

인도에 도착했을 때 나는 인도 천으로 만든 셔츠, 도티, 저고리에다 흰 스카프 차림을 하고 있었지.

그러나 3등칸 여행을 하게 되니 스카프와 저고리가 너무 거추장스러워서 캐시미어 모자를 하나 사서 썼어.

그런 차림을 하고 나니 영락없는 가난뱅이였지.
컨셉 좋고~

아직 나는 보통의 인도 사람들에게까지 알려져 있지 않았기에
이보슈! 오늘 간디 님이 오신다고 했는데 저 배 타고 왔수?
띵

사람들은 내가 성인이나 고행자쯤 되는 것으로 생각한 것 같아.

인도에는 여행을 하며 수행을 하는 성인이나 고행자가 매우 많으니까.

그러나 내가 방문하는 곳마다 나를 아는 많은 사람들은 분에 넘치는 대접을 해 주더군.

나 때문에 주인들은 불필요한 수고를 하고 지나친 낭비를 하면서까지 대접했네.
영상 차입니다..

그래서 나는 일상 식사 때 나오는 음식의 가짓수를 제한하고,
5가지만 주세요..

마지막 식사는 해가 지기 전에 하기로 했어.

내가 만일 이렇게 제한하지 않는다면 내가 방문하는 곳의 주인들에게 많은 불편을 줄 것이고,
뭐?! 벌써 한달치 음식이 떨어졌어?

나 자신이 봉사를 하기보다는 오히려 그들이 나에게 봉사하도록 만들 것이라는 확신이 들었어.
뭐 더 필요하신 건 없습니까?

그래서 나는 하루 동안 다섯 가지
종류 이상은 먹지 않으며,

어두워진 후에는 절대 아무것도
먹지 않기로 맹세했어.
꼬르륵

1916년, 1년간의 침묵의 시간이
끝나고,
스톱워치
1년

나는 국민회의에 참석했어.
국민회의
일이 너무 많이 쌓였어

그때 참파란이란 곳에 사는 어떤 농민이
자기들이 당하는 억울한 사정을 말씀드릴 것이
있다며 나를 붙잡고 매달렸지.
오늘은 꼭
얘기해야돼~

제발 우리들의
처지를 직접 눈으로
보아주십시오.

나는 내가 계획하고 있는 여행 계획에
참파란을 포함시켜 하루 이틀
머물겠다고 약속했지.

그는 얼마나 끈질긴지 내가 가는 곳마다
나타나서 참파란에 언제 올 것인지
날짜를 정해달라고 하더군.
화장실
한시가
급하단
말이야~

나는 어디를 가야하는지
무엇을 할 것인지
몰랐지만,
일단
가봐야
알겠군..

이 농민의 정성에 감동해, 1917년 마침내
참파란에 가게 되었어.

참파란은 갠지스 강 상류 북쪽,
히말라야의 발 아래 네팔과의
국경 지역에 있는 곳으로
인도의 다른 지방과는
완전히 떨어져 있는 곳이야.
네팔
참파란
방글라데시
포르반다르

그곳은 망고 숲이 많았지만 그에 못지않게 면직물을 염색하는 데 쓰는 인디고를 재배하는 농원이 많았지.

참파란 주민들은 법에 의하여 자기 땅의 3/20은 땅주인을 위해 인디고를 강제로 재배해야 했어.
뭔 법이 이런 게 어디 있노?

이 제도는 '팅카디아' 제도라고 불렀어.
어디 보자.. 참파란이 어디있지?

나는 당시 참파란이라는 지명조차 몰랐고,
여기쯤 인가…?

어디에 위치하는지도, 인디고 농원이 무엇인지도 몰랐어.
22년 동안 남아프리카에 있었더니 여기 지리를 잘 몰라….

인디고 짐짝을 본 일은 있었지만 그것이 참파란에서 수천 농민의 힘든 노동에 의해 재배되고 있는 줄은 알지 못했지.

농부와 내가 참파란에 도착한 지 얼마 되지 않아 나는 내가 스스로 고삐를 쥐어야 한다는 것도 알게 되었어.
제발 멈춰~~
워 워어~~

왜냐하면 나를 데려온 농부는 소박하고, 단호하지만
나 왔어~

참파란에서 영향력 있는 사람이 아니었기 때문이지.
이제 간디선생이 다 알아서 해줄겨~

나는 그 지역의 가장 영향력 있는 변호사들을 만났어.

한 변호사가 가난한 소작농들의
사건 중 두 개를 맡아 재판 중에
있었는데,
제가 맡고
있습니다.

나는 그 변호사가 맡은 사건을
검토해 보고

참파란의 일은 한두 건의 재판으로
해결할 수 있는 일이 아니라는 결론을
얻었어.
팅카디아

농민들은 심한 억압을 당해 겁에 질려 있어서
향숙인
이뿌다….

'팅카디아'를 없애는 일을 하지
않고는 그곳을 떠날 수 없겠더라고.

나는 원래 이곳에 하루 이틀 정도 머물러 있을
계획이었지만, 사실을 알고 나니 2년도 더
걸리겠더라고,

나는 해결될 때까지 이곳에 머물기로
결심했습니다. 그러나 여러분의
도움이 필요합니다.

선생님이 원하시는 대로 무엇이든
다 하겠습니다.

우리들 중 몇 명은 선생님이
머무는 기간 동안 선생님과
같이 있을 것입니다.

감옥에 갈 수도 있다는
말은 우리에게 낯설지만
그럴 각오로 힘써
보겠습니다.

나는 참파란 농민들의 실태를 조사하고,
흠…

농장주에 대한 농민들의 불평이 무엇인지 알아내는 것을 목표로 삼았어.

이 목적을 위해서는 수천 명의 소작농*들을 만나야 했지.
아직도 멀었네~ 헥헥….

*소작농 – 땅을 빌려서 농사를 짓는 사람.

그러나 이 조사를 시작하기 전에 이 사건과 관련된 농장주들의 입장을 아는 것과
농 장 주

이 지방의 장관을 만나보는 것도 중요한 일이라고 생각했어.
벌써 힘 다 빠졌다! 헥… 헥….

당신은 외부 사람이므로 나와 소작인 사이에 개입할 필요가 없다고 분명히 말씀드리외다.

또 지방장관은 나를 위협하면서 즉시 이곳을 떠나라고 위협하더군.

큰코 다치기 싫으면 떠나는게 좋을거요!!

우리가 몹시 학대받고 있는 소작인 소식을 듣고 그를 찾아가던 중,
Stop!

경찰국장이 보낸 심부름꾼이 내게 참파란을 떠나라는 통지서를 주더군.

나는 경찰에게 조사가 끝날 때까지 참파란을 떠날 수 없다는 글을 써주었어.

다음 날 나는 즉시 떠나라는 명령에 불복종했다는 이유로 재판을 받으라는 소환장을 받았네.
똑 똑 똑

참파란에서 아무도 나를 아는 사람이 없었지만,

내가 소환장을 받았다는 소식이 들판에 불처럼 번져나갔어.
소문

법원은 사람들로 꽉 들어찼지.
법원

내가 어디를 가든지 군중들이 따랐으므로 경찰은 군중을 통제하기에 눈코 뜰 새 없었어.

빨리 집으로 들어가!!
삑 삑

재판이 시작되자,
가.. 간디다!!

정부의 변호인과 치안판사, 관리들은 어쩔 줄을 몰라했지.
갑자기 배가 아파서 다… 다음에….
드르릉 드르릉

그들은 재판을 연기하고 싶어 했어.
정말 배가 아프다구~

참파란을 떠나라는 명령을 받고도 떠나지 않은 것은 명백한 죄이니

재판을 연기하지 말아 주십시오!

본인이 이 지방에
온 것은 인도주의적이고
민족주의적인 입장에서
봉사를 하고자 하는 것입니다.
인디고 농장주들로부터
부당한 대우를 받고 있다고
주장하는 농민들이
도움을 청하여
이곳에 온 것입니다.

그러나 본인은
문제를 검토하지 않고는
이들을 도와줄 수가 없었습니다.
그래서 가능하다면
정부와 농장주들의 협력을 얻어
이 문제를 검토하려고
온 것입니다.

본인은 정부의 곤란함을
충분히 인정하지만
그들 곁에 머물러 있지 않고는
지금 곧 그들을 도울 수 없고,
저 스스로 물러설 수는 없습니다.
불복종에 대한 처벌을 항의 없이
받아들이는 것이 저의 움직일 수
없는 신념입니다.

이제 재판을 연기할 이유는 없어졌지.
그래도….

하지만 치안 판사는 재판을
연기해 버렸어.
휴정~!!

나는 그 사이에 총독과 여러 사람들에게
자세한 사항을 전보로 알렸네.

다음 재판이 있기 전에 부총독이 내 소송을 취소하라는 명령을 보내왔고,

당장 취소해~!

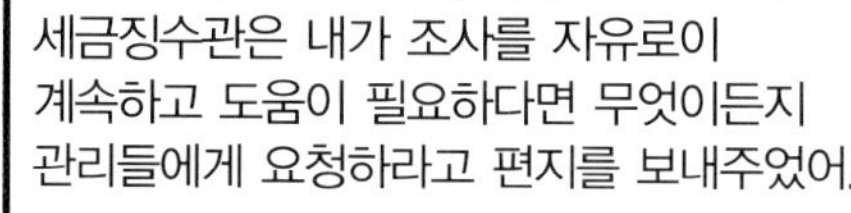
세금징수관은 내가 조사를 자유로이 계속하고 도움이 필요하다면 무엇이든지 관리들에게 요청하라고 편지를 보내주었어.

세금징수관
고고~!!
무브! 무브~!!

우리들 중 아무도 이렇게 빨리 기쁜 결과가 오리라고 생각하지 못했어.

이 사건은 지방 신문에도 실려서 나의 조사가 널리 알려지게 되었어.

무패행진!!
간디! 참파란에 승리!!

나는 주요 신문들의 발행인에게 편지를 보내

신문사

보도할 필요가 있는 것은 내가 보내 줄 테니 수고스럽게 기자를 보내지 말라고 요청했어.

참파란의 일은 매우 미묘하고 복잡한 것이어서

참파란

신문이 강한 어조로 내 편을 든다면 정부나 농장주들을 자극할 수 있었기 때문이지.

신문
정부
농장주

나는 지극히 작은 것까지 철저히 진실을 강조했고,

<초강추>
진실만이 살길이다!

이 점이 정부나 농장주들의 칼끝을 돌리게 만들었어.

허락하겠소!!

나는 구체적인 조사를 시작했어.

한 명씩
질서를 지키세요!!

많은 농민들이 진술을 하기 위해 왔고,

조사연구회

그들을 따라온 동료들도 많았기 때문에 집 안팎은 사람들로 넘쳐났지.

북적
북적

진술을 기록하기 위해 최소한 5~7명의 지원자가 도왔으나

북적
북적

농민들 중에는 진술을 하지 못하고 저녁 때까지 기다리다 돌아가는 사람들도 있었어.

조사연구회

사실 그 진술들이 다 필요한 건 아니었어.

도우미

겹치는 것이 많았기 때문이지.

그럼 우린 헛고생한 거잖아!!
와그작
와그작

그러나 그렇게 하지 않고는 농민들의 마음이 풀리지 않았지.

아! 그렇게 깊은 뜻이…

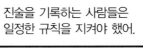

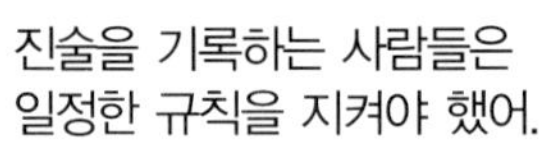

진술을 기록하는 사람들은 일정한 규칙을 지켜야 했어.

기록시 규칙 사항

농민들은 한 사람 한 사람 세밀히 반대 심문을 받아야 했고,

그..그게 저..

심문에 충분히 대답하지 못하는 사람은

저쪽 줄로 가세요….

모두 제외해 버렸어.

제외대상

그리고 진술을 기록할 때 범죄수사국의 관리 한 사람이 같이 있었어.

찌릿

우리는 그들을 거부할 수 있었지만 그렇게 하지 않았지.

진실의 투명성을 위해서..

우리는 그들을 정중하게 대하고

더 필요한 게 있으십니까?
정보

그들에게 주어도 될 만한 정보는 다 주었지.

극비 정보

도리어 범죄수사국 관리 앞에서 진술한다는 것이 농민들을 더욱더 두려움 없이 만들었어.

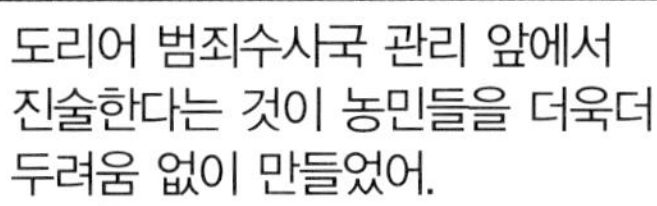

난 열심히 일했을 뿐이고..
지주한테 강제로 뺏겼을 뿐이고~

나는 농장주들의 심기를 건드리지 않고

착하지~
으르릉
농장주

친절함으로 그들을 굴복시키고 싶었으므로

농장주
친절함

진술에서 몹시 심한 평가를 받은 농장주들에게는

블랙리스트
농민들 투표 1위

반드시 편지를 보내고 만나기도 했어.

머리에 장미를 꽂고 나오시오
간디...

나는 또 농장주 단체에 찾아가서 소작인들의 불평을 알려주고 그들의 생각을 들어보기도 했어.

100분 토론
소작인 대표
농장주 대표

내가 참파란을 더 알게 됨에 따라 지속적인 성격의 사업은 교육 없이는 불가능하다는 것을 확신하게 되었어.

교육사업

농민들은 비참할 정도로 무지했어.

1+1=?

그들은 아이들을 그냥 쏘다니게 내버려 두거나

그렇지 않으면 하루에 동전 한두 푼을 벌기 위해 아침부터 밤까지 인디고 농장에서 일을 시켰어.

나는 동료들과 의논해서 여섯 마을에 초등학교를 열기로 결정했지.

마을 사람들이 교사들의 식사와 숙소를 책임지는 대신
어서 옵셔~
가정식 백반

그 외의 모든 비용은 우리가 맡는다는 것이었어.
사업 계획 예산 비용

마을 사람들은 돈은 거의 없었지만 먹을 것은 넉넉히 마련할 수 있었거든.
말만 하슈~ 먹는 건 다 있수다.
쌀
당근
콩
밀
조

그러나 문제는 선생을 어디서 구하느냐가 문제였어.
선생 급구함

거의 무보수나 다름없는 적은 월급으로 일하겠다는 그 지방 선생을 구하기는 어려웠고,
생각해 보겠습니다.

내 생각에 절대로 평범한 교사에게 아이들을 맡겨두고 싶지 않았기 때문이지.
왜? 우리 아이는 소중하니까

그래서 나는 대중들에게 호소하여,
"국민들이여! 제발 도와주시오"

선생으로 자원해 달라고 호소했어.
참신한 선생님을 구합니다!

즉시 반응이 나타나 많은 사람들이 참파란에 왔어.
우르르

내 아내 역시 그 일을 위해 참파란에 왔어.
다… 당신까지….

그러나 그들 중에는 지식이 많지 않은 여자들도 있었어.
무료숙식 된다길래 왔거든요.

나는 그들에게 문법이나 읽기, 쓰기, 셈하기를 가르치는 것을 바라는 것이 아니라
간디학교 교육 방침..

청결과 예법을 가르쳐주기를 바란다고 설명했지.
청결 예법

그리고 초급 학년에서는 글자와 숫자의 기본을 가르치는 것이 그리 어려운 일이 아니라는 것을 설명했어.
흥!
식은 죽 먹기지

그 결과 부인들이 담당한 학습이 가장 성공적이었어.
성공 학습반

나는 초등교육을 시키는 것에 만족하고 싶지 않았어.
더 높이!!
마을복지
초등교육

당시 마을들은 아주 더러워서 골목길에는 쓰레기가 가득 찼고,

샘물은 진창과 배설물에 둘러싸여 있었어.

어른들에게 청결을 가르쳐주는 것도 절실히 필요했어.
첫째, 청결 둘째도 청결 셋째도 청결 청결, 청결~!!

그들은 가지가지의 피부병에 걸려 있었어.
에.에이즈 아냐??

그래서 위생 사업을 될 수 있는 한 많이 하여
위생사업

생활의 구석구석까지 침투시키기로 했어.
치익

각 학교의 남자 한 사람과 여자 한 사람에게 질병 치료와 위생 업무를 맡겼지.

보건업무

위생 사업은 어려운 일이었어.
어후~ 시원하다….

마을 사람들은 어떤 일도 스스로 하지 않았지.
여기도 해줘~!

어떤 마을에서는 우물을 치우고 근처의 웅덩이를 메우고
기이잉
우물

내 차가 이곳저곳을 다닐 수 있도록 길을 내기도 했지만,
흥!

주민들의 냉담함으로 쓰라린 경험도 있었어.
흥!
우린 차도 없는데 찻길은 왜 만들어?!

이와 같이 자원해서 봉사하는 사람들이
자원 봉사단

학교를 경영하고

위생 사업을 하고
부아앙

병 치료를 함으로써
보건소 가는 길

마을 사람들의 신뢰와 존경을 얻고
좋은 영향을 미칠 수 있었지만
존경
신뢰

이러한 사업을 영구적인 발판 위에
세우자는 내 희망은
복지사업

결실을 보지 못하고 말았어.
와르르
복지사업

왜냐하면 자원봉사자들은 일정한
기간 동안만 와 있는 것이고,
시간
다 됐네….
단기 지원자
기이잉

오랫동안 무보수로 일할 사람은
구할 수도 없었으니 말이야.
이 따위
구인광고가
어딨어??
좌악
쫙

그러나 참파란에서 몇 달 동안에
한 일은 깊은 뿌리를 내렸기 때문에
복지
사업

그 영향이 여러 가지 형태로 나타나는 것을 오늘날도 볼 수 있어.
의료 봉사단체

사회봉사 사업이 진행되고 있는 동안
다른 한편에서는 농민들이 털어놓는
불평이 빠르게 기록되고 있었어.

타타탁

이러한 진술이 수천 건
수집되었고,
진술서

진술하러 오는 농민들의 수가
끊임없이 늘어남에 따라

농장주들의 분노는 커져갔어.

땡
분노게이지

그들은 내 조사를 방해하기 위해 온 힘을 기울였지.

어쩔 수 없게 된 정부는 '조사위원회'를 구성했어.

조사위원회
정부

나는 동료들과 의논한 후 조사위원회의 한 사람이 되었지.

조사위원회

이 위원회는 진실을 확인하고,

찾았다!!
진실

농장주는 부당하게 걷은 징수금을 돌려줄 것과

칫! 치사해서
돌려준다!
팅

'팅카디아'를 폐지할 것을 권고 했어.

끙끙..
팅카디아

농장주들은 줄기차게 반대했지만

톡
팅카디아

결국 '팅카디아' 제도는 이렇게 해서 폐지되었어.

쿵
팅카디아

농장주들의 압제에 시달렸던 농민들은 어느 정도 자기들의 권리를 찾았고,

압박
농민

농장주들은 자신들의 왕국에 종말을 고해야 했지.

참파란
농민

나는 그 건설 사업을 몇 해 더 계속하고

학교도 더 세우고, 농민들의 마음속에 좀 더 힘 있게 들어가고 싶었지만

전에도 종종 그랬듯이 운명은 나를 몰아 다른 곳에서 일을 시작하게 되었어.
여긴 또 어디야?
운명

아~ 이제 왜 바푸를 '마하트마' 라고 부르는지 알 것 같아요.

정말 억압받는 인도의 민중들과 함께하는 '위대한 영혼' 이신 것 같아요.

당해봐라!

하아아아~

참, '마하트마' 라는 호칭은 인도의 유명한 시인 타고르가 붙여준 거라면서요?
라빈드라나드 타고르 (1861~1941)

흠~ 제가 혼자 공부 좀 했지요~.

제11장 임금투쟁에서 롤래트 법까지

나는 참파란에 있는 동안 아메다바드로부터 편지를 받았어.

아메다바드는 내 고향 근처에 있는 지방이고 인도에 같이 온 피닉스 농장의 사람들이 아슈람(=공동체)을 만들어 생활하고 있는 곳이기도 하지.
파키스탄
참파란
방글라데시
아메다바드
인도
포르반다르

그 편지에 의하면, 임금이 낮은 방직 공장의 노동자들이 오래 전부터 임금을 올리는 운동을 벌여왔다는 것이었지.

나는 그들을 지도해주고 싶었어.
좋아!
가는거야!

참파란의 일이 어느 정도 마무리 되자마자 나는 아메다바드로 갔어.
아메다바드

이때가 1918년, 내가 48살쯤 되었던 시절이지.

아베다바드의 임금투쟁에서 곤란했던 것은

노동자들을 지도하는 사람과 공장 주인들의 대표는 오빠와 동생이었고,

노동자지도자
VS
공장주대표

나는 두 사람과 다 잘 아는 사이였어.

나는 그들과 싸우기가 어려워서 중재에 나섰으나 이루어지지 않더군.

흥!
흥!

할 수 없이 나는 노동자들에게 파업을 계속하라고 조언할 수 밖에 없었어.

방직공들은 처음 2주일 동안 대단한 용기와 자제력을 가지고

큰 집회를 열며 파업을 했어.

우리가 이기는 그날까지~!!
총파업

그러나 시간이 지날수록 집회에 나오는 사람이 줄어들고

오~ 몸이야..

낙담하고 절망하기 시작하더군.

에잇! 안해!

내 마음은 말할 수 없이 괴로웠어.

우 배고파~

어느 날 아침 방직공들 모임에서 나도 모르는 사이에 말이 나오더군.

하나로 뭉쳐서
일이 해결될 때까지
파업을 계속하거나,
한 사람도 남김없이 공장을 떠나든지,
둘 중의 하나가 이루어질 때까지
나는 아무 음식도 입에 대지
않겠습니다!

노동자들은 눈물을 흘리며 파업의 맹세를 끝까지 지킬 것이니 단식을 중지해 달라고 간청하기도 하더군.
제발 그것만은... 바푸..

나와 아주 친한 사이였던 공장주들은 긴장해서 나를 비꼬기도 했지만
우린 잘못 없는데 괜히 저러는 거야.

내가 단식을 하는 것은 공장주들의 잘못이 아니라
그대들 잘못이 아니오..

노동자들 잘못 때문이라고 안심시키고,
거봐~ 우리 잘못이 아니라니까~

같이 단식을 하려는 노동자들을 내가 말려서 못하게 하자
하지마! 하지마! 하지마~~!!

서로 간에 화해의 분위기가
생기기 시작했어.
간디 만세!!

공장주들도 이것에 감동되어
해결방법을 찾기 시작했어.
찾았다!

내가 단식을 시작한 지 사흘 만에
파업은 중지되었어.
파~
죽을뻔 했네~

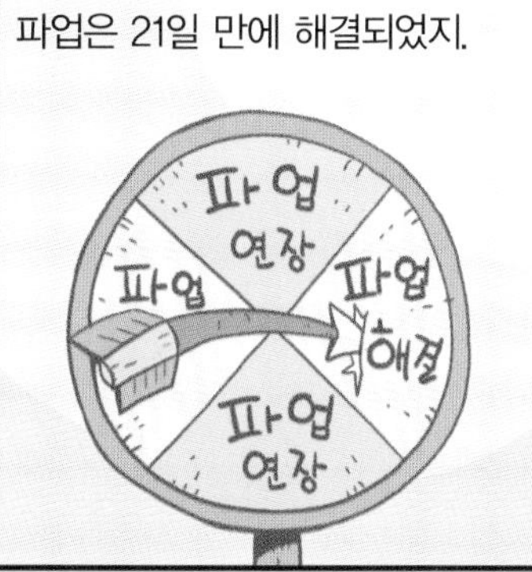
파업은 21일 만에 해결되었지.
파업 연장
파업
파업 해결
파업 연장

내게는 숨 돌릴 틈도
없었어.
숨 좀 쉬자~~
질질질~

아메다바드 바로 아래에 있는 케다 지방의
넓은 지역이 곡식의 흉작으로 기근상태에 빠져

세금을 면제받는 문제로 사티아그라하 운동을 벌여야
했기 때문이지.
또 간디야?
세금면제촉구

케다의 사티아그라하는 세금을 유예시키는 것으로
마무리 지어졌고,
간디가
하자는
대로 해~!!

교육받은 사람들이 농민들의 생활과 접촉하고

"체험삶의 현장"

농민들과 손잡고 활동하는 것을 배우는 계기가 되었어.
봉사 단체
농민

이 즈음 유럽은 제1차 세계대전이라는 전쟁의 소용돌이 속에 있었어.

영국은 대규모의 추가 병력이 필요해서 인도에 도움을 요청하는 회의를 열었어.

좀 도와주지~
병력추가

총독은 나에게도 참석하라는 권유를 하더군.

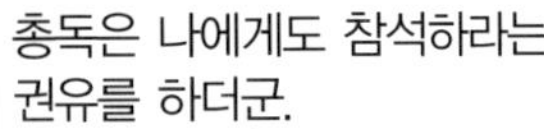

그냥 밥만 먹고 가~

나는 그 회의에 인도인의 대표로 초청받은 사람들 중에 이슬람교의 지도자 등 인도의 가장 강력한 지도자들이 포함되어 있지 않은 것을 비판하며

왜 안 불러? 그들의 입장도 중요하다고!

참석을 거부했어.

공석

그러나 총독은

영국 정부가 인도에게 한 일이 모두 잘한 것은 아니지만

전체적으로 영국은 인도에게 좋은 일을 하려 하는 국가요.

인도가 영국과의 관계를 통해 혜택을 받아왔으므로 영국이 어려움에 처해 있을 때 돕는 것은 영국 제국에 속한 인도 시민의 의무라고 주장했지.

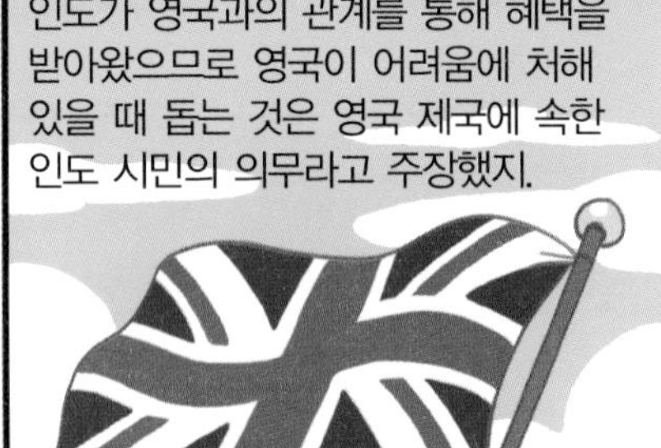

이러한 생각은 나의 생각과 어느 정도 일치하는 것이었어.

흠..

나는 오랫동안 이렇게 생각했기 때문에 남아프리카에서 보어전쟁이나

보어전쟁

줄루족의 반란이 일어났을 때도 스스로 사람들을 모집해서 영국을 돕기도 했으니까.

군사모집

나는 다시 회의에 참석하기로 했어.
흠흠… 그 정도까지 얘기하는데 안 하기도 그렇고….

나의 이런 결정은 나와 가까운 사람들 사이에서도 논쟁이 되었지만,
땡
참석 vs 불참석

영국군을 위해 즉시 50만 명의 인도인 군대를 만든다는 그 회의 결정에 찬성했어.
군대 결성

이 결정에 따라 나는 인도인 군대 병사를 모집하러 다니기 시작했어.
성실한 군인모집

내가 케다에서 사티아그라하를 할 때는 사람들이 먼저 나서서 달구지를 무료로 쓰도록 내주기도 하고,
고맙소.

한 사람의 자원자가 필요하면 둘 씩 자원자가 나왔는데,

이제는 달구지를 돈을 주고도 얻기가 힘들 뿐 아니라
제발~
돈도 다 필요 없소!

자원자는 꿈도 꾸기 어려웠어.
딴 데 가서 알아보슈~!!
쾅
에고! 힘들어~

하지만 나는 낙심하지 않았지.
벌떡
여기서 쓰러질수 없지!!

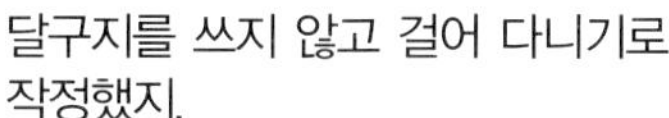
달구지를 쓰지 않고 걸어 다니기로 작정했지.

매일 30Km 정도를 걸어 다니며 손가방에 먹을 것을 가지고 다녔어.

다행히 여름이어서 침대나
이불이 필요하지 않았어.
모기는 어떡하구.
아! 등 가려워..

우리는 가는 곳마다 집회를 열었어.
군대란 무엇인가?

사람들이 오기는 했으나 군대에
지원하는 사람은 하나 아니면 겨우
둘쯤 되었지.
딸랑?
지원실
밥은 주나요?

선생님은 살아 있는 것에 해를 끼치지
않는다는 아힘사의 신봉자이면서
어떻게 우리보고 무기를 들라고
하십니까?

영국이 우리를 위해
무엇을 했다고
우리가 영국에
협력해야 합니까?

어떤 사람들은 나를 보고
'참파란의 고집불통' 이라고
부르기도 한다던데….

우리는 끈기 있게 일을 계속해 나갔어.
위이잉
병사 모집

나는 우리가 대영제국의
시민으로서 의무를 다한다면
영국 시민

가까운 시일 안에 인도가 영국의 다른 자치령들이 누리는 권리를
얻을 수 있을 것이라고 믿었기 때문이지.
영국
안에서
독립을!

이러는 동안 내 건강은 매우 나빠져서
지독한 이질과 높은 열에 시달렸어.
40 °c

그 당시 내가 먹은 음식은 주로
땅콩과 버터, 레몬이었기 때문에,

사람들은 과로와 영양부족으로
내가 병에 걸렸다고 생각했어.

이질은 얼마나 지독했는지
나온다!!
안돼~!!

24시간 동안 30, 40번 정도
화장실에 가야 했을 정도였어.
우르릉
쾅 쾅
뿌직 뿌직
W.C

나는 탈진해 버렸고

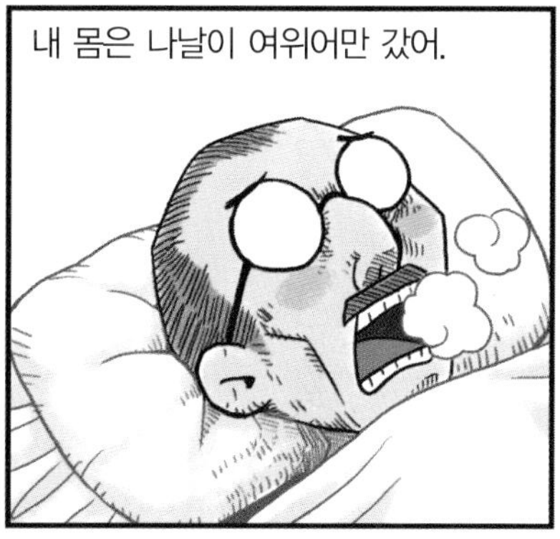
내 몸은 나날이 여위어만 갔어.

의사가 와서 약을 먹고, 주사를 맞으라고
했지만 나는 거절했어.
NO

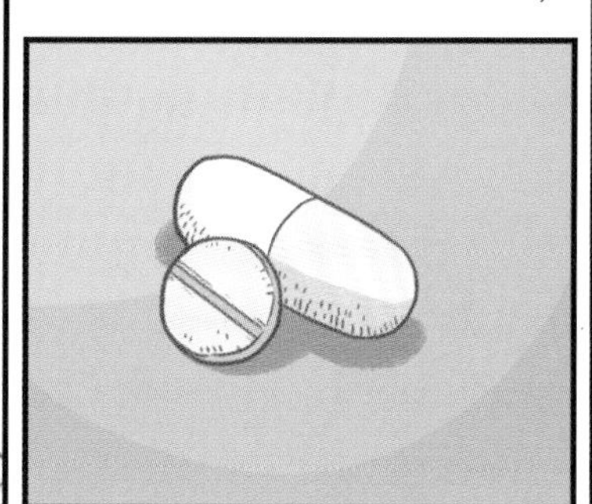
약에 의한 치료를 믿지 않았으며,

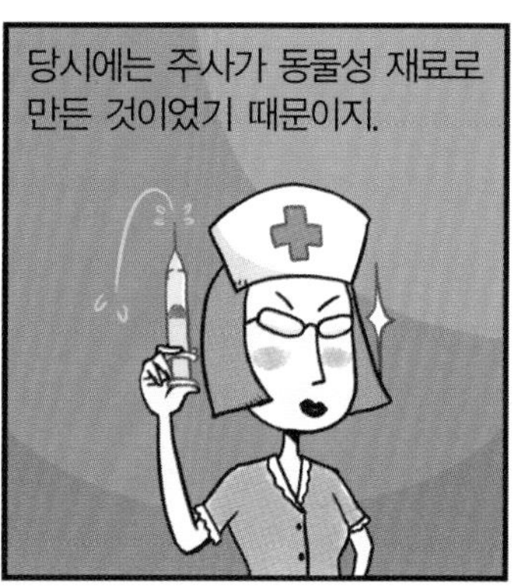
당시에는 주사가 동물성 재료로
만든 것이었기 때문이지.

내가 이렇게 아슈람의 병석에서
뒹굴고 있을 때

독일이 완전히 졌다는 것과, 모병은
필요없게 되었다는 소식이 전해졌어.
항복
항복

그 말을 들으니 살 것만 같았지.
파하~ 영국이 이겨서
다행이다~

나는 물 치료법을 시작했어.
전쟁도 끝났고 하니...

물 치료법으로 몸이 좀 낫기는 했지만 회복되지는 않았어.
헥헥

사람들은 우유를 권하고 고깃국과 달걀을 권했지만

나의 대답은 오직 하나.
싫어!

나는 마지막이 가까워졌다는 생각을 떨쳐버릴 수가 없더군.
어서 오세요~♥
GOAL

아슈람의 식구들이 읽어주는 힌두 경전 《바가바드 기타》의 구절을 듣는 것에 깨어 있는 시간 전부를 바쳤어.

그러던 중 나만큼이나 괴팍한 의사가

몸 전체를 얼음으로 문지르는 치료를 권했어.
그 방법밖에 없어!

그 치료가 내 몸에 효과를 냈다는 것을 보증할 수는 없지만 그것은 내게 확실히 새 희망과 힘을 불어 넣어 주었어.
어..어...
후우

내 몸이 조금 나아지자 의사는 다시 우유를 권하더군.
아이고 헥헥
헛둘! 헛둘!

나는 젖소나 물소에서 잔인한 방법으로 우유를 짜는 것(=푸카라고 함)을 보고
끄아아~

우유를 마실 생각이 없어져서 그것을 먹지 않기로 했다고 말했지.
우웩!

옆에 있던 아내가 이 대화를 듣고

그렇지만
산양유를
먹는 것은
반대할 것이
없잖아요?

산양유를 드셔도
됩니다.

나는 결국 굽히고 말았어.

사티아그라하 투쟁을 다시 시작하자는
강렬한 의욕이 내 속에 살자는 열망을
불러일으켜서,
이대로
죽을 순
없지….
슉 슉

맹세를 글자로만 지키는 것으로
만족하고 그 정신은 포기하기로
했어.
채식주의

내가 맹세할 때는 비록 젖소와
물소 젖만을 생각했지만

거기엔 모든 동물의 젖이 다 포함되어
있는 것이기 때문이지.

이 기억은 지금도 가슴에 맺혀
있어서 내 마음은 후회로 가득
채우고,
꺼억

나는 늘 산양유를 언제나 그만두나
그 생각만 하고 있지만
꿀꺽

지금도 그것을 놓지 못하고 있어.
역시
산양유가
최고야!!

바푸가 배 위에서 염소를 데리고
있는 사진을 본 적이 있어요!

염소랑 바푸가 잘 어울린다고 생각했는데… 그런 사연이 있으신 줄 몰랐어요!

산양유를 먹기 시작한 후 의사는 곧 내 항문의 터진 곳을 수술해 주었어.
봉합 수술중

병이 회복되자 살자는 욕망이 다시 살아나더군.
난 살고 싶어~
삶
병

더구나 하느님은 나를 위해 할 일을 마련해 놓으셨기 때문이었어.
법반대
롤래트

제1차 세계대전 당시 영국은
영국인 판사 롤래트 경을

위원장으로 하는 위원회를 구성하여

구성원

인도의 혁명 운동과 관련된 음모를 조사 보고하라는 일을 맡겼어.
바푸! 음식 좀 갖고 왔어요!
웅? 저건 암호?!

이 위원회는 1차 세계대전이 끝난 이후에도 전쟁 때와 같은 엄격한 규제를 계속하라는 건의를 했어.
규제가 있어야 제대로 조사를 하지….

나는 위험을 무릅쓰고 긴 여행을 하며
이제 내려줘!!

그 법의 통과를 막아보려고 했지만
롤래트 법

정부는 1919년 인도인들의 기대를 저버리고 '롤래트법'을 통과 시키고 말았어.
출렁
골인~

법이 통과되었다는 소식이 온 날 나는 그 문제를 생각하다가 잠이 들었어.

날이 밝아올 무렵 평소보다 조금 일찍 잠이 깨어

아직도 몽롱한 가운데 갑자기 하나의 생각이 떠오르더군. 마치 꿈인 것 같았어.
딱
그래! 바로 그거야!

나의 생각은 이러했어.
전국적으로 하르탈*을 지킬 것을 호소하겠습니다! 그 날, 전 인도의 민중들이 일을 쉬고 하루를 단식과 기도로 지내야 합니다!

이슬람교도들은 하루 이상은 단식하지 않을 것입니다. 그렇기 때문에 단식기간은 24시간이어야 합니다.

하지만 모든 주가 우리의 호소에 호응해 줄지는 모르겠습니다.

***하르탈** – 'hat(상점)'와 'tala(잠그다)'라는 말이 합해서 된 말로 파업 또는 휴업.

그러나 뭄바이, 마드라스, 비하르, 시드만은 거의 확실하다고 생각합니다. 이 주들만 하르탈을 충실히 지켜도 만족할 만합니다.

하르탈을 하기로 한 날, 전 인도가 이 끝에서 저 끝까지, 도시도 촌락도 완전한 하르탈을 지켰어.

그것은 정말 놀라운 광경이었지.

힌두교와 이슬람교도 하나같이 힘을 합쳤어.
꽉

정부는 이것을 도저히 견딜 수 없었어.
앗! 뜨거워~
인도의 하르탈

경찰은 하르탈 행진이 철도역으로 가는 것을 막기 위해 총을 쏘아서 많은 사람들이 죽었어.
탕 탕 탕 탕

곳곳에서 경찰과 사람들 사이에서 충돌이 일어났지.
힘 좀 빼지..
흥! 으읏..

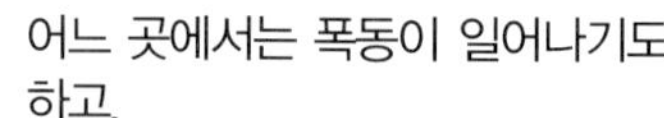
어느 곳에서는 폭동이 일어나기도 하고,

정부는 계엄령을 선포하기도 했어.
계엄령 선포

나는 속죄의 의미로 3일간 단식을 하겠다고 선언했지.
더도 안해! 딱 3일!!

사람들에게도 같은 의미로 단식을 하라고 호소했어.
단식 준비~!!

그리고 폭력을 쓴 사람은 죄를 자백하라고 하고,

정부에 대해서는 그 죄를
용서해 줄 것을 제안했어.
용서해 줘~~
정부

그러나 내 말은 양쪽 모두에게
다 받아들여지지 않았지.
시끄러~!!
폭동
정부

사티아그라하는 순전히 진실된 사람들의
무기이고, 사티아그라하를 하는 사람들은
비폭력을 맹세한 사람이므로
사티아그라하

하르탈이 폭력적인 모습으로
변해가는 것은 잘못이라고
생각했어.
스르릉
스르릉

나는 민중들이 평화의 소중함을 깨닫지
못한다면
평화

사티아그라하를 중지해야 된다고
결심했어.

이런 결정을 좋지 않게 여기는 사람들도 많았지만, 사태의 진상을
내 눈으로 보고 사람들이 많이 체포되었다는 소식을 듣자
경찰서

내가 '히말라야 산과 같은 잘못'을
저질렀음을 깨달았어.
나 돌아갈래~~

사티아그라하를 하기에는 너무
일렀던 거지.
속도위반

당시에 나는 알지 못했지만 펀자브 지방의
암리차르라는 곳에서 끔찍한 대학살이
벌어졌어.

이 지방의 하르탈은 경찰과
충돌하지도, 무력을 사용하지도
않았지만
평화로운
집회 현장

하르탈이 확대되어 가는 것에 겁을 먹은 정부가 군대를 보강해 줄 것을 요청했어.
조용~
너무 조용한 게 수상해.

새로 보강된 군대는 사람들에게 총을 쏘았고

이에 격분한 시민들은 정부의 건물에 방화하고

영국인 은행원 세 명을 때려 죽여 불태웠으며,

영국인 교사를 죽여 버려두었어.
출입 금지

새로 보강된 군대의 지휘관 다이어 장군은 영국인이며 화려한 경력을 자랑하는 사람이었는데,
뭐 딱히 자랑할 건 없고 훈장 몇 개랑 별 두 개 정도…?

인도인들에게 본때를 보여줄 생각으로 광장에 모여 평화적인 집회를 하고 있는 사람들에게 발포했어.

그 광장은 밖으로 통하는 출입구가 몇 군데 밖에 없는 곳이었는데

다이어 장군은 광장을 둘러싼 높은 언덕에서 50명의 부대원들에게 총알이 떨어질 때까지 쏘라고 명령했지.
발포하라~~!
탕탕탕탕

겁에 질린 만여 명의 군중은 즉시 흩어졌지만,

10분 동안 모두 1,650발이 발사되어 379명이 죽고, 1,137명이 부상을 입었어.

이 일은 보도가 엄격이 통제되어 수주일 뒤에나 소식이 알려졌어.

쉿~ 쉿!

내가 후에 그곳에 갔을 때 목격한 광경은 일생 동안 잊을 수 없을 것이야.

나는 이 일을 조사하면서 상상조차 못 했던 정부의 폭정과

정부

관리들의 잘못에 관한 이야기를 듣게 되었지.

시킬때는 언제고..

더 놀랍고 슬픈 것은 그곳은 전쟁 때 영국 정부에 가장 많은 군인을 보낸 곳이라는 거야. 그럼에도 불구하고 그렇게 짐승 같은 학살을 당하다니….

나는 이 일로 영국 정부가 어느 정도로 불법을 저지를 수 있는가,

누가 보기전에 빨리 덮어버려야지!!
불법야만행위

권력을 유지하기 위해 얼마나 비인도적이고 야만적일 수 있는가를 뼈저리게 깨닫게 되었어.

감쪽같지? 헤헤..
권력유지

제12장 물레 이야기 - 카디의 탄생

휴~ 이제 내 이야기를
끝마칠 때가 왔군.

내가 자서전을 쓰기 시작한 것이
1925년 56살 때였으니 벌써 4년의
시간이 지났어.
에구.. 에구..
내 나이 이제
60살이구먼.

그래, 마지막으로
어떤 이야기를
듣고 싶지?
바푸~!
우리나라
사람들은
어린이들까지
간디 할아버지를
알아요!

할아버지가 물레를
돌리는 사진을 많이
보았거든요.
전 할아버지가 평생
물레운동을 하신
줄 알았어요.

그런데 아직까지 물레에
대해 아무 말씀도
안 해서요.
그럼,
마지막
이야기로
물레에 대한
이야기를
해볼까?

나는 39살 때쯤 손베틀과 물레에 대한 이야기를 쓴 적이 있어.

슥슥

손베틀과 물레가 인도를 가난으로부터 구하는 만병통치약이 될 것이라고 썼지.

앗싸!
가난 탈출이다!!

당시 나는 손베틀과 물레를 한 번도 본 적이 없었지만,

엥?!
그럼 우리
속은겨??

그것들을 이용해서 인도 사람들의 뿌리 깊은 가난을 없앨 수 있다면 자치(=스와라지 또는 독립)를 이룩할 수 있다고 생각했기 때문이었지.

1915년 남아프리카에서 돌아왔을 때, 남아프리카에서 같이 살던 피닉스 농장의 식구들과 함께 아슈람을 만들었어.

그리고는 직접 옷감을 짜서 입으려고 물레와 손베틀을 몇 대 구했지.

물레는 실을 잣는 것이고, 베틀은 실을 가지고 옷감을 만드는 것인데,

그때까지도 물레를 실제로 보지는 못했어.

오~ 이게
바로 물레~!!

다른 사람들도 마찬가지여서 우리 중에 베틀을 다룰 수 있는 사람이 아무도 없었어.

요즘 누가
옷을 만들어~
왜냐하면
아주
오래 전에는

실 잣는 사람, 물감 들이는 사람, 베 짜는 사람이 따로 있어서

물감
실
베

인도 사람들은 스스로 옷을 만들어 입었지만,

짠~

영국이 우리가 재배한 목화를 싼 값에 사서 공장의 기계로 옷감을 대량생산해

우리에게 되팔기 시작하면서 인도의 직물산업은 거의 사라져 버렸기 때문이었지.

생산량

우리는 먼저 베짜는 기술을 가르쳐 줄 사람을 구해왔어.

난 좀 비싼데..

그러나 그는 자기 기술을 전부 가르쳐 주지 않더군.

당연하지!
나도 먹고 살아야지!!

다행히 아슈람 식구 중에 기계에 타고난 재주가 있는 이가 있어서 오래지 않아 베짜는 기술을 완전히 익힐 수 있었지.

참 쉽죠~ 잉!
킹왕짱~!!

그 뒤로 아슈람에는 베를 짤 줄 아는 사람이 늘어갔어.

와글 와글

당초 우리 목적은 순전히 우리 손으로 만들어 낸 천으로 옷을 지어 입자는 것이었어.

우리는 즉시 방직 공장에서 만든 옷감을 사지 않았어.

판매가 왜 이렇게 안돼?!

그리고 아슈람 가족들은 모두 인도 무명실로만 짠 옷감으로 옷을 지어 입었어.

우린 할 수 있어!!

이로써 우리는 수많은 경험을 얻을 수 있었지.

경험치 획득!!

베를 짜는 사람들과의 만남을 통해서 우리는 그들의 생활이 어떠한지, 얼마나 생산할 수 있는지, 그들의 상황이 얼마나 열악한지,

작업 불만사항

그래서 결국은 끊임없이 빚만 자꾸 늘어간다는 사실을 알게 되었어.
빚
빚
끙끙

당시 우리는 천을 바로 짜낼 수 없는 상태였어.
이게 옷이야? 이불이야?!

그렇기 때문에 옷감을 짜는 사람에게서 인도 천을 사야 했지.
그냥 영국 실 쓰면 안될까?

그러나 인도 실로 만든 옷감은 쉽게 구할 수가 없더군.
빚만 지는데 누가 만들어?!

옷을 해서 입을 수 있을 정도의 가는 실은 모두 외국에서 짠 것이고,
제발 옷 좀 입게 해줘~!

인도 방적 공장에서는 가는 실은 뽑지 않았거든.
오~ 포기해야 하나 …??

여기저기 수소문한 끝에 생산한 모든 제품을 산다는 조건으로 스와데시 실로 옷감을 짜주겠다는 직공을 몇 사람 찾아낼 수 있었어.
방직공
천만 다행이다~!!

이쯤해서 내가 등장해줘야~.
펑

스와데시란 '자립경제'란 뜻으로 20세기 초 인도 독립운동 방법의 하나라고 할 수 있지.
인도산 물품
Made in U.K
팅
내가 더 좋은데…

스와데시 운동을 할 당시 집회가 끝나면 영국제 옷이 산더미 같이 쌓이고 사람들은 바지고 셔츠고 모두 벗어 던져 완전히 벌거숭이가 된 적도 있었대.

부끄러워하지마!
조국을 위한
일이야!!

간디가 미소 지으며 성냥불을 붙이면 불길이 타오르고,

화르르

간디는 전통적인 구식 물레로 인도산 면을 스스로 짜야 한다고 엄숙히 말하곤 했대.

우리 것이
좋은
것이여~!!

국민회의 깃발에 물레의 그림이 그려지고, 인도 사람들은 너나 할 것 없이 물레로 실을 잣기 시작했대.

이제까지의 얘기는 물레가 어떻게 해서 스와데시 운동의 상징이 될 수 있었는가를 설명하는 것이지.

펑

우리는 인도 방적 공장 제품으로 된 옷감으로 옷을 해 입고 또 친구들에게도 선전함으로써 인도 방적 공장의 홍보원이 된 셈이지.

좋은 옷 좀
입고 다녀~.
내가 싸고
좋은 데
알고 있는데.
패션테러리스트
홍보

우리는 한 걸음 더 나아가 우리가 직접 생산한 실로 옷감을 짜고 싶었어.

우리가 인도 방적 공장의 홍보원 노릇만 해서는 나라에 봉사할 수 있다고 생각하지 않았거든.

우리의
소원은
인도의
독립!!

우리는 또 다시 난관에 부딪쳤어.

쿵

처음엔 물레를 구할 수도 없었고, 물레질을 가르쳐 줄 사람도 구할 수 없었거든.

물레가 어떻게
생겼지?

세월은 가고 날이 갈수록 내 조바심은 더해만 갔지.

머리 아파~!!

아슈람을 방문한 사람들 중에
물레질을 알 만한 사람이 있으면
실이라면 말이지..
번쩍

기회를 놓치지 않고 달라 붙어
그 기술에 대해 물었지.
깜짝
아슈람에게 실이란?

그러나 실을 잣는 것은 여성의 일이고,
요새는 거의 실을 잣는 일을 하지 않기
때문에,
어떻게 찾아~?!

혹시 어느 외진 시골에 베틀,
물레질 꾼이 아직도 살아 있다
하더라도

그 여성을 어디선가 찾아내는 것은
같은 여성이라야 할 수 있는
일이었지.
나보고 어떡하라구~?!

1917년, 나는 강가벤 마즈무다르라는
부인을 알게 되었어.

그녀는 불가촉천민 출신의 교육도 별로 받지 못한
과부였으나, 대단한 기업정신을 가진 사람이었어.
나? 사장이야~
오올~
올~

그녀는 이미 불가촉천민이라는 저주를 벗어버렸고,
억압받는 계급 사이를 두려움 없이 다니며 그들에게
봉사하고 있었어.
자원봉사자
불가촉천민

그녀는 돈이 많았으나 자신을 위해서는
쓰지 않았고, 잘 단련된 몸으로 어디든
동행자 없이 잘 다니는 사람이었지.

나는 자유인이다~

나는 그녀와 잘 알게 되면서 물레를
찾지 못해 고민이라고 털어놓았지.
어떻게 하죠?

그녀는 열심히 구해보겠다고
약속했어.
간디여 영원하라!!

강가벤은 비자푸르라는 곳에서 마침내 물레를 찾아냈어.
뭄바이
비자푸르

그 지방은 상당수 사람들이 집에 물레를 가지고 있었으나 벌써 오래 전부터 쓸모없는 물건으로 여겨 헛간에 처박아 두고 있었어.
후우~

그들은 강가벤에게 누가 솜고치를 계속 대준다면 실을 잣겠다고 했어.
솜고치

강가벤이 그 기쁜 소식을 내게 전해주었으나, 이번엔 솜고치를 대주기가 막막했지.
지금 당장이라도 할겁쇼?

다행히 아는 분이 자기 공장에서 필요한 만큼의 솜고치를 보내주겠다고 해서 그 문제는 곧 풀렸어.

나는 솜고치를 강가벤에게 보냈고, 얼마 안 되어 실이 쏟아져 들어왔는데
증말??

미처 그것을 감당할 수 없을 정도였어.
드디어 실이.. 크하하하

나는 계속해서 솜고치를 받기가 미안하더군.
그만~
그만~!!

더구나 공장의 솜고치를 쓰는 것은 근본적으로 잘못이라는 생각도 들고.

공장의 솜고치와 공장의 실이 다를 게 없잖아.
솜고치

공장의 솜고치를 쓴다면 공장의 실을 쓰지 못할 이유가 무엇인가?
옛날에는 솜고치를 대주는 공장이 분명히 없지 않았을까?
그렇다면 솜고치를 어떻게 만들었을까?

이런 생각을 하면서 나는 강가벤에게 고치를 대줄 수 있는 솜틀꾼을 찾아보라고 했지.
띠링
한 건의 문자메시지가 도착하였습니다.
띠링~

그녀는 그 일을 확실하게 처리했지.
풋! 그 정도 쯤이야~

그녀는 솜을 틀겠다는 솜틀꾼을 한 사람 고용했어.
솜틀의 달인

강가벤은 젊은이 몇몇을 훈련시켜 틀어놓은 솜으로 고치를 만들게 했지.
만든다! 실시!!
네!!

나는 뭄바이에서 목화를 구해 왔고
아슈람 택배

이렇게 해서 강가벤의 사업은 기대 이상으로 번창하게 되었지.
쑥
쑤욱

그녀는 직조공을 찾아내서 비자푸르에서 뽑은 실로 천을 짜게 했지.

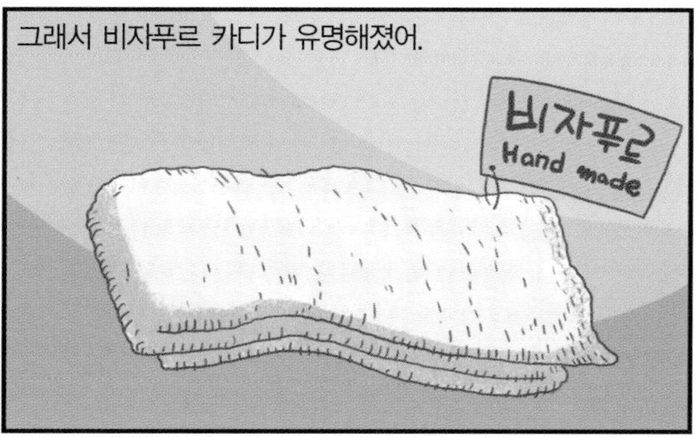
그래서 비자푸르 카디가 유명해졌어.
비자푸르
Hand made

비자푸르에서 이렇게 발전하는 동안 아슈람에서는 물레가 급속하게 자리를 잡았어.

물레가 내 방에서 즐겁게 노래하기 시작했지.

물론 이 모든 실험에는 상당한 비용이 들었어.

그러나 카디를 믿는 애국적 친구들,

조국을 사랑하는 사람들이 기꺼이 비용을 충당해 주었어.
조국을 위해 써주시기 바라오.

나는 드디어 내 옷을 순전히 카디로만 만들 계획을 품을 수 있었어.
감격
내가 돌린 물레로 옷을 해 입다니….

내가 걸치고 있는 도티(인도인들이 허리 아래에 두르는 천)는 아직도 인도 방적 공장 천으로 만든 것이었지.

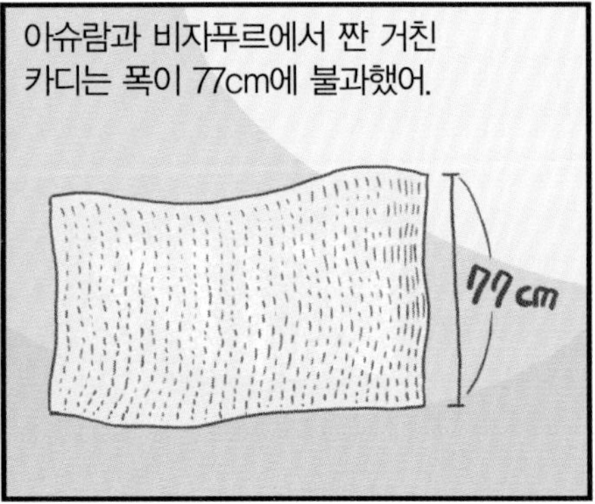
아슈람과 비자푸르에서 짠 거친 카디는 폭이 77cm에 불과했어.
77cm

나는 강가벤에게 폭 115cm인 카디로 만든 도티를 한 달 안에 보내주지 않으면 거친 것으로 짧은 도티를 만들 수밖에 없다고 편지를 썼지.
115

그녀는 난색을 표했지만 그럼에도 나의 요구를 들어 주었어.
OK!
이 정도야 뭐..

그녀는 한 달 안에 폭 115cm 짜리 카디 도티 한 벌을 보내와서 나를 어려운 처지에서 구해주었어.
신상 도티
택배
헥 헥

카디가 그 후에 어떻게 발전했는지는 그만 얘기할게.
STOP

사람들의 눈에 다 드러나 있는 나의 여러 활동을 기록하는 것은 이 책의 목적이 아니거든.
자서전
No!!

내가 이 책을 쓰는 이유는 단지 그런 일들이 나의 진실 추구 과정에서 어떻게 생겨났는지 기록해 보자는 데 있거든.
진실 탐험

내 생활은 세상이 모르는 것은 아무것도 없을 만큼 공적인 것이었거든.

그뿐 아니라 1921년 이후로는 국민회의의 지도자들과 아주 가까워져서
베스트 프렌드

그들과의 관계를 말하지 않고는 내 생활의 어떤 이야기도 할 수 없게 되었지.
이 친구들 얘기 빼면 얘기할 게 없어~

국민회의의 역사는 아직도 형성 과정에 있기 때문에 여기서 그 이야기를 하기엔 맞지 않는 것 같으니 그만할게.
국민회의
사실 내 펜이 본능적으로 더 쓰기를 거부해.

나는 내 실험을 존중해. 내가 그것들을 정당하게 말했는지 모르겠지만

내가 말할 수 있는 것은 오직, 성실하게 이야기하려고 노력했다는 점뿐이야.
진심이 통하길 바랄뿐..

나는 여기서 나에게 나타난 그대로, 그리고 내가 그곳에 도달한 방식으로 진실을 기록하려고 끊임없이 노력했어.
그렇게 하는 것이 말할 수 없는 마음의 평화를 주었지.

그 이유는 이 글이 망설이고 있는 사람들에게 진리와 아힘사에 대한 믿음을 안겨줄 수 있었으면 하고 바랐기 때문이야.
진리
아힘사
진리
아힘사

만일 이 글에서 진리를 실현하는 단 하나의 길이 아힘사임을 말하고 있지 않다면,
아 힘 사
아 힘 사

이 글을 쓰는 데 기울였던 노력은 다 헛된 것이야.
난 최선을 다했다구!!

한마디로 지금까지 내가 아무리 진지하게 아힘사의 실천을 위해 노력해 왔다 하더라도
헉헉..
아
힘
사

아직도 불완전하고 불충분하다는 얘기지.
와르르

진리의 완전한 모습은 아힘사가 완전히 실현된 후에야 나타나.
으쌰~
힘
사

생명을 가진 모든 것을 평등하게 대하는 것(아힘사)은 '자기 정화' 없이는 불가능하지.
자기 정화란 나를 깨끗이 하는 것을 말해.

나를 깨끗이 하는 것은 내 생활의 모든 행동을 깨끗이 하는 것이야.
이것은 전염성이 강해서, 내가 깨끗해지면 나의 주변도 깨끗해진다네.

나는 아무리 끊임없이 노력을 한다 해도 아직도 내 안에 깨끗하지 못한 것이 남아 있고, 아직도 가야 할 험난한 길이 내 앞에 있음을 잘 알고 있어.
자기 정화

그것은 자신을 아무것도 없는 무(=無)의 경지까지 내리지 않으면 안 돼.
더 밑으로~!!
無

자신을 모든 생명 가운데 마지막에 세우지 않는 한 구원은 없어. 아힘사는 겸손의 최고봉이지.
겸손

이제 헤어질 때야. 내가 진실의 신 앞에 생각과 말과 행동에 아힘사의 은총을 베풀어 주시기를 바라는 기도에 너희도 함께 하기를 바라.

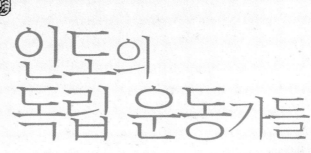

인도의 독립 운동가들

1) 자와할랄 네루 (Nehru, Jawaharlal, 1889~1964)

네루는 1947년 8월 15일 인도가 영국으로부터 독립할 때 초대 총리 겸 외무부 장관이 된 인도의 정치가로 1964년 총리 재임 중 사망할 때까지 인도 건국의 아버지이자 국민의 영웅이었습니다.

자와할랄 네루

네루의 집안은 북인도 카슈미르 지방의 부유한 브라만 가문이었습니다. 현재도 그의 가문은 '자와할랄 네루'와 그의 딸 '인디라 간디', 손자 '라지브 간디' 등이 총리를 지낸 인도의 명문가입니다. 당시 독립운동 지도자들의 상당수가 영국에서 교육받은 법률가였던 것처럼 네루도 영국에서 유학한 변호사 출신입니다.

인도로 귀국한 후 네루는 간디의 행동주의에 영향을 받아 '국민회의파'에 참가하였고, 농민들과 직접 만나면서 정치에 눈을 떴습니다. 간디는 무슨 일이 있어도

의한 인도와 파키스탄의 분리 독립을 받아들입니다. 또한 간디는 마을 단위의 자급자족 경제발전을 꿈꿨던 반면 네루는 산업화와 사회주의 경제발전을 구상하고 있었습니다. 여러 가지 면에서 네루는 간디와 다른 입장을 보이기도 했지만, 네루 스스로 간디를 만나고서 자신의 인생이 의미 있어졌다고 회고할 정도로 간디는 네루의 인생에 많은 영향을 끼쳤습니다.

초대 수상 자와할랄 네루(윗줄 맨 왼편), 그 아버지 모틸랄 네루(아랫줄 가운데)는 민족 운동을 이끈 지도자였다. 인디라 간디(윗줄 오른 쪽 두 번째)는 이 가문의 후광을 잘 활용하면서 '네루 왕조'를 형성한다.

그는 1929년 국민회의파의 의장으로 선출된 이후 인도의 독립 지도자로 활동하였습니다. 독립 후 총리로서 대외적으로는 미국, 소련 어느 편에도 가담하지 않는 비동맹주의 외교정책을 주장하였으며 대내적으로 국가개발계획 등을 통한 사회주의형 사회 실현을 위해 노력하였습니다.

그를 직접 접했던 미국의 인도학자 스탠리 월포트는 "네루는 카리스마가 넘쳤다. 잘 생기고 달변이었다. 이상적이고 낭만적이었으며 활달했지만, 동시에 내향적이었다."라고 평합니다. 네루의 웅변은 지금도 화제가 됩니다. 그는 1947년 8월14일 자정 독립 직전 이런 명연설을 남겼습니다. "자정을 알리는 종소리가 울리면 세상 사람들은 잠들어 있겠지만 인도는 생명과 자유를 위해 깨어날 것입니다."

2) 진나 (Jinnah, Muhammad Ali 1876~1948)

파키스탄 500루피 지폐의 진나 초상

진나는 이슬람의 정치가로서 파키스탄 초대 대통령입니다. 파키스탄의 화폐 5루피, 10루피, 50루피, 100루피, 500루피 등에는 진나의 얼굴이 있습니다.

그는 부유한 상인의 아들로 태어나서 영국으로 유학하여 변호사가 되었습니다. 1906년부터 인도 국민회의에 참여하여 힌두교와 이슬람교의 정치적 통합을 위하여 노력하였습니다. 당시 그는 인도의 이익이 이슬람교도의 이익과 일치한다고 생각하고 있었기 때문입니다. 그러나 인도 독립운동의 중심 국민회의가 간디식의 비폭력 · 불복종 운동을 벌이자 이슬람 독자노선을 걷게 됩니다.

제2차 세계대전 후에 인도가 영국으로부터 독립을 쟁취할 때 힌두교도는 진나가 인도의 소수 민족인 이슬람교를 대표하면서도 힌두교와 동등한 권리를 요구한 것은 잘못이라고 생각하였고, 이슬람 측에서는 이슬람의 권리를 어느 정도 보장해 주었던 영국이 물러갈 경우 소수인 이슬람은 힌두의 지배를 벗어날 수 없을 것이라고 생각하여 이슬람과 힌두 사이에 심한 갈등이 생겨납니다. 결국 인도는 힌두교의 인도와 이슬람교의 파키스탄으로 분리 독립하게 됩니다.

3) 고칼레 (Gokhale, Gopal Krishna, 1866~1915)

गोपाल कृष्ण गोखले
भारत
INDIA
1866-1915
GOPAL KRISHNA GOKHALE
0.15
고칼레

인도 국민회의파의 온건파 지도자로 인도의 점진적 개혁을 주장하고, 인도 사회 봉사자 협회를 창설하여 청년들의 교육에 힘썼습니다. 국민회의파 내에서는 인도의 완전 독립을 위한다면 테러도 불사하겠다는 티라크 등의 강경파와 대립되는 입장을 가졌습니다.

그는 특히 간디에게 특별한 영향을 끼쳤는데, 간디는 자서전에 고칼레에 대해 이렇게 쓰고 있습니다.

"그는 갠지스 강 같았다. 거룩한 강에서는 누구나 새 힘을 얻는 목욕을 할 수 있다. 히말라야는 기어오를 수 없고, 바다에는 배를 띄우기도 쉽지 않지만 갠지스 강은 누구에게나 가슴을 연다. 그 위에 배를 띄우고 노를 젓는 건 너무나도 즐거운 일이다."

간디의 삶

1869년 10월 2일 모한다스 카람찬드 간디, 인도 서부 지방 포르반다르에서 태어남.

1882년(13세) 힌두교의 조혼 풍습에 따라 카스투르바이와 결혼함.

1888년(19세) 법학을 공부하기 위해 영국으로 유학.

1891년(21세) 런던의 이너 템플 법학원을 수료하고 인도로 돌아옴.

1893년(24세) 남아프리카로 감. 남아프리카 인도인의 차별 문제를 인식하기 시작함.

1894(25살)~1895(26살) 나탈 인도 국민회의를 설립.
인도인 선거권 박탈 법안 및 인도인 인두세 반대투쟁.

1896(27살) 가족을 데리러 일시 귀국하여, 녹색 팸플릿을 만듦.

1899(30살) 보어전쟁에서 영국인들을 위해 인도인 위생병부대를 만들어서 전쟁에 참여함.

1903(34살) 러스킨의 《나중에 온 이에게도》를 읽고 크게 감명 받음.

1904(35살) 피닉스 정착촌을 설립하고 〈인디언 오피니언〉 창간.

1906(37살)~1914(45살) 남아프리카 정부의 인종 차별법에 대항해 비폭력 투쟁을 펼쳐 여러 차례 투옥됨.

1910(41살) 요하네스버그 교외에 톨스토이 농장을 만듦.

1914(45살) 정부와 협상 타결, 남아프리카에서 사티아그라하 투쟁 승리.

1915(46살) 22년 만에 귀국, 아메다바드에 사바르마티 아슈람 건설.

1917(48살) 참파란 지방의 인디고 재배 농민을 도움.

1918(49살) 아메다바드 섬유 노동자 파업 지도.

1919(50살) 롤래트 법안에 반대하여 총파업 지도.
암리차드 대학살 발생.

1920(51살) 영국 정부의 정책에 협조하지 않는 비협조 운동 전개.
물레를 돌려 옷감을 직접 짜고 영국산 옷감을 배척함.

1921(52살) 뭄바이에서 영국산 옷을 태움.

1922(53살) 비하르 주 차우리차우라에서 경찰을 공격하는 사건으로
시민 불복종 운동을 중단하고 단식에 돌입.
6년 형을 선고 받고 감옥에 투옥됨.

1924(55살) 맹장수술로 조기 석방됨.
힌두교와 이슬람교의 화해를 위해 21일 동안 단식.

1925(56살) 《자서전》 집필 시작.

1929(59살) 《자서전》 완성.

1930(61살) 소금 행진으로 투옥됨.

1933(64살) 불가촉천민 차별을 없애기 위해 〈하리잔〉 창간 및 캠페인 벌임.

1936(67살) 와르다 근교 세바그람에 아슈람 건설.

1941(72살) 국민회의에서 물러남. 개인적으로 진실관철투쟁 시작.

1942(73살) 인도의 완전한 독립을 요구함.

1944(75살) 아내 죽음. 진나가 주도하는 이슬람 동맹과의 화해 노력 실패.

1946(77살) 인도와 이슬람교 사이의 폭동을 해결하기 위해
여러 마을을 방문하며 노력함.

1947(78살) 8월 15일 인도와 파키스탄 분리 독립.

1948(79세) 힌두교 과격주의자 나투람 고드세의 총에 맞아 사망함.

간디 자서전

서기남 글 | 박수로 그림

01 간디가 살던 당시 인도는 어느 나라의 식민지였나요?

① 영국 ② 남아프리카 ③ 중국
④ 미국 ⑤ 일본

02 젊은 시절 간디의 직업은 무엇일까요?

① 성직자 ② 변호사 ③ 사업가
④ 정치가 ⑤ 교수

03 간디는 《자서전》에 '어머니가 내 기억에 남기신 가장 강한 인상은 성자 같은 모습이었다.'라고 표현하고 있습니다. 그의 어머니는 아주 신앙심이 깊고 종교를 목숨과 다름없이 생각하는 사람이었으므로 간디는 이 종교의 영향 아래서 성장했습니다. 이 종교는 무엇일까요?

① 힌두교 ② 이슬람교 ③ 불교
④ 기독교 ⑤ 가톨릭

04 인도인들은 간디를 주로 '이 이름'으로 불렀다고 합니다. 이것은 인도의 유명한 시인 타고르가 붙여 준 것으로 '위대한 영혼'이라는 뜻을 지니고 있습니다. 이 이름은 무엇일까요?

____

05 간디는 자신이 일생 동안 가장 중요하게 생각한 것을 《자서전》의 부제로 삼았습니다. 이 부제는 무엇일까요?

① 나의 정치 실험 이야기

② 나의 종교 실험 이야기

③ 나의 독립 투쟁 실험 이야기

④ 나의 인권 실험 이야기

⑤ 나의 진리 실험 이야기

06 다음은 간디의 《자서전》 일부입니다. '이것'은 무엇일까요?

1906년 37세가 되던 해에 나는 이것을 맹세했어. 나는 이 맹세를 지키기 위해서 여러 가지 노력을 했지. 첫 번째 중요하게 생각한 것은 미각을 조절하는 것이었어. 여섯 해 동안의 실험 결과 이것을 지키는 데 좋은 음식은 신선한 과일과 굳은 껍질의 열매라는 것도 알게 되었지. 난 또 이것을 위해 일정한 기간을 정해서 음식을 먹지 않은 단식을 하기도 했다네.

① 브라마차리아　　② 사티아그라하　　③ 롤래트

④ 하르탈　　⑤ 인디고

09 ① : 젊은 시절 간디는 인도가 대영제국 내에서 대영제국을 통해 완전한 독립을 달성할 수 있다고 생각해 스스로 군대를 모아 영국의 전쟁을 돕기도 했습니다.

10 아힘사는 좁은 의미로는 '不殺生', 즉 '살아 있는 생명을 죽이지 않는다.'는 뜻이고, 넓은 의미로는 '살아 있는 생명에 해를 끼치지 않는다.'는 뜻으로 간디의 비폭력, 불복종 운동의 근본 사상입니다.

07 1896년 인도에 잠시 돌아온 간디는 〈남아프리카 인도인들의 고통〉이라는 제목의 작은 책자를 만들었습니다. 이 책을 통해 인도인들은 남아프리카의 인도 노동자들의 삶과 간디의 활동에 대해 알게 되었습니다. 이것은 표지 색깔 때문에 '○○팸플릿'이라는 이름으로 불리기도 하는데, 빈 칸에 들어갈 말은 무엇일까요?

---

08 아래 글에 나온 간디를 상징하는 '이것'은 무엇일까요?

간디가 살던 당시 인도 마을의 직물 산업은 거의 없어진 상태였습니다. 왜냐하면 영국이 인도인이 재배한 목화를 싼 값에 사서 공장 기계로 옷감을 대량 생산하여 다시 인도인에게 팔고 있었기 때문이지요. 간디는 이 문제를 해결하기 위해 인도인의 손으로 만들어 낸 천으로 옷을 지어 입도록 하는 '스와데시 운동'을 벌입니다. 스와데시 운동을 위해 간디는 거의 없어진 '이것'을 찾아내서 직접 실을 잣기 시작했습니다. 국민회의 깃발에는 이것의 그림이 그려지고, 인도 사람들은 너 나 할 것 없이 이것으로 실을 잣기 시작했다고 합니다.

---

09 간디의 삶과 사상에 대한 설명입니다. 옳지 않은 것을 고르세요.

① 간디는 어린 시절부터 영국으로부터 독립하는 것만이 인도를 살리는 것이라고 생각하였다.

② 간디는 당시의 풍습에 따라 13세의 어린 나이에 결혼하여 그 부인과 평생을 같이 했지만, 후에 조혼의 풍습은 인도의 발전을 막는 것이라고 생각하여 반대하였다.

③ 남아프리카에 간 20대의 간디는 영국 신사 복장을 하고 1등석을 타는 사람이었지만, 22년 후 인도로 돌아올 때는 인도 노동자의 복장을 하고, 3등석을 타는 인도 민중의 지도자가 되어 있었다.

④ 간디는 이슬람교, 힌두교 등 여러 종교를 공부하였고, 다른 종교를 인정하는 열린 자세를 가지고 있었다.

⑤ 간디는 간소한 생활을 중요하게 생각했고, 자신이 옳다고 생각하는 것을 실천하기 위해 '아슈람'을 만들어 사람들과 공동체 생활을 하였다.

10 간디는 자서전의 마지막에 '만일 이 글이 한 페이지 한 페이지마다 아힘사라고 선언하고 있지 않다면, 이 글을 쓰는 데 기울였던 노력은 다 헛된 것이었다고 생각한다.'고 고백하고 있습니다. 간디의 삶과 철학에 가장 큰 영향을 준 '아힘사'는 무슨 뜻일까요?

정답

01 ① / 02 ② / 03 ① / 04 마하트마 (또는 마하트마 간디) / 05 ⑤

06 ① : 브라마차리아–금욕, 사티아그라하–진리의 힘, 롤래트–인도인의 정치활동을 금지한 법률 이름, 하르탈–파업, 인디고–염료를 만드는 작물

07 녹색 / 08 물레